La memoria

642

Andrea Camilleri

Privo di titolo

Sellerio editore
Palermo

2005 © Sellerio editore via Siracusa 50 Palermo
e-mail: sellerioeditore@iol.it

Camilleri Andrea <1925>

Privo di titolo / Andrea Camilleri. Palermo : Sellerio, 2005.
(La memoria ; 642)
ISBN 88-389-2030-3.
853.914 CDD-20

CIP - *Biblioteca centrale della Regione siciliana «Alberto Bombace»*

Privo di titolo

Quasi una premessa

L'assassino

Verso la metà d'aprile del 1941, il professore di cultura militare del ginnasio-liceo «Empedocle» di Giurgenti, avvocato Francesco Mormino, principiò, previa autorizzazione del signor preside s'intende, a firriare classi classi per spiegare a noi alunni (io allora andavo in prima liceo), il comu e il pirchì della grande adunata giovanilfascista che si sarebbe svolta a Caltanissetta il 21 di quello stesso mese.

E correva voce che a quell'adunata avrebbero partecipato macari avanguardisti e giovani italiane di tutte le altre province siciliane.

Nella nostra classe il professore avvocato Mormino s'appresentò a mezza matinata interrompendo una tirribili interrogazione di greco. E perciò fu ricevuto dalla classe in piedi, venne salutato romanamente e ricevette uno spontaneo applauso liberatorio.

Era vistuto in borgisi, ma indossava la camicia nera. Cinquantino, massiccio, la testa a palla di bigliardo, usava tiniri le mano sui fianchi e quando non parlava dondolava avanti e narrè spurgendo in avanti il mento come usava fare Benito Mussolini. Aveva fama di grande poeta ed era cosa cognita che un suo carme di duemila versi, intitolato «Duce!», era stato acquistato, d'ordine del Federale, da tutte le biblioteche scolastiche e da tutte le case del fascio della provincia.

Con tribunalizio e commosso eloquio, il professore di cultura militare ci spiegò che ci saremmo dovuti recare a Caltanissetta per rendere omaggio all'unico martire fascista siciliano, Gigino Gattuso, del cui sacrificio supremo ricorreva il ventennale.

Per la verità il diciottenne Gigino era stato ammazzato a revorbarate da un sanguinario comunista, del quale il professore si rifiutò di fare il nome per non allordarsi la vucca, il 24 d'aprile: ma la manifestazione era stata anticipata per farla coincidere con il giorno 21, ricorrenza del Natale di Roma e festa nazionale.

L'avvocato Mormino ci diede solo avare notizie sul nostro quasi coetaneo che si era immolato per l'affermazione dell'Ideale.

Ci disse che era stato uno studente di buona famiglia il quale aveva aderito con slancio alla «Lega antibolscevica» di Antonio D'Oro, che in seguito avrebbe fatto carriera tra i gerarchi del partito. Sempre in prima fila a combattere i socialisti e le loro losche trame antipatriottiche, il giovanissimo Gigino giorno appresso giorno venne a configurarsi, per il suo entusiasmo, per la sua dedizione, per il suo coraggio, per la sua indomita fede, come un avversario pericoloso, da eliminare. E viene difatti eliminato con un colpo di revorbaro in testa da un caporione socialista, fondatore a Caltanissetta della sezione comunista. A che sprecare altre parole per descrivere l'ignobile, sanguinario omi cida? Non si definiva da sé uno che aveva fondato una sezione del partito comunista? E infatti il professore avvocato non andò oltre. Altro gli premeva.

«Ora vi leggo» disse «un breve carme che ho composto in memoria del martire».

La lettura del carme durò un'orata scarsa. Ne ricordo purtroppo solo il primo verso:

O Tu di nostra terra giovin fusto...

Alla notizia che dovevamo partire in treno, mè matre si preoccupò.

Eravamo in guerra e ogni tanto qualche formazione di caccia-bombardieri 'nglisi, partita da Malta, veniva a mitragliare qualisisiasi cosa si cataminasse lungo le strate, ferrate o no.

Mè patre arrinisci in qualche modo a calmarla, le disse che macari lui aviva quel giorno una riunione di travaglio a Caltanissetta, che alla fine dell'adunata sarebbe passato a pigliarmi e mi avrebbe riportato in pàisi con la sò machina.

Noi di Porto Empedocle raggiungemmo Giurgenti con la corriera, come facevamo ogni matina per andare a scola. Eravamo tutti in divisa blu di marinari avanguardisti.

A Giurgenti pigliammo un treno spiciali che ci portò in dù ore a Caltanissetta: passammo il viaggio a cantare, a fare a botte e a sputazzate.

«Disciplina! Disciplina!» intimava il professore di cultura militare, stavolta completamente bardato in divisa.

Ma nisciuno lo stava a sintiri.

Quando arrivammo a Caltanissetta, il corso Vittorio Emanuele era già gremito d'avanguardisti e giovani italiane. Impossibile raggiungere la piccola piazza dove sorgeva il monumento in memoria del martire: un basamento rettangolare di marmo sormontato da un gran fascio littorio.

Opera egregia dello scultore camerata Meschino (!).

Ci assistimarono al principio di una strata che sbucava nella piazzetta: da lì non potevamo vidiri nenti di nenti, ma eravamo in grado di sintiri i discorsi attraverso gli altoparlanti.

In mezzo a tutto quel grigioverde, le nostre divise blu facevano un bello spicco.

Doppo una mezzorata che un gerarca parlava, a ogni tre parole interrotto da applausi, da «eja eja alalà», da cori appassionati («Duce, Duce, Duce»), sentii che non ce la facevo più a tenerla. Era un grosso problema, non potevo abbassarmi la pattina dei pantaloni da marinaro e farla lì, in mezzo ai miei compagni. Accomenzai a spostarmi verso un portone vacante senza dare nell'occhio, ci arrivai, trasii, feci il mio bisogno, niscii nuovamente fora per tornare al mio posto.

Ma passando davanti a un altro portone, vitti una cosa che prima non aviva notato.

Addritta supra una cascia di ligno, in modo da poter vidiri quello che capitava nella piazza indovi c'era il monumento, metà dintra e metà fora del portone, ci stava un omo cinquantino, tutto vistuto di nìvuro, che tiniva un fazzoletto arravugliato nella mano e con quello ogni tanto s'asciucava l'occhi. Piangeva. E non era

14

un chianto soffocato, no, era un chianto violento e dispirato che l'assugliava a tratti, che gli faciva piegare il busto, stringere le spalle, cummigliarsi la faccia con le dù mano. I suoi singhiozzi assimigliavano a un attacco di tosse canina rabbiosa, incontrollabile.

Mi feci pirsuaso che quell'omo a lutto era un parente stritto del martire.

Ma pirchì allura non se ne stava in prima fila con gli altri della famiglia?

Restai affatato a taliarlo, senza potermi cataminare.

Quel chianto senza ritegno in un omo d'età mi parse a un tempo una cosa offensiva e piatosa, tanto da stringermi la vucca dello stomaco.

Proprio in quel momento una mano si posò sulle mie spalle. Era mè patre che era venuto a pigliarmi.

«Amuninni».

«Ma papà l'adunata non è finita!».

«Amuninni lu stissu».

Papà era nirbùso e lo si vidiva chiaramenti, la cerimonia non gli stava a genio.

«Papà» spiai «tu l'acconosci a quell'omo?».

E feci 'nzinga verso il signore sulla cascia che si pilava di chianto.

Mè patre era stato fascista della prima ora, squatrista. E dei fascisti siciliani accanusceva vita e miracoli. Papà lo taliò per un attimo.

«Sì» disse. «È l'assassino».

Di alcuni personaggi

Assunta Bartolomeo vedova Callarè

Come oramà usava da vint'anni, appena d'aprili si isava il tempo e principiavano jornate serene e siratine acconfortevoli, la signora Assunta Bartolomeo, ottantina, vidova del vicecapostazione Romildo Callarè, macari quella sira, doppo aviri mangiato, si fece assistimare dalla nipote Nunzia Quadarella sul balcone della sò cammara di letto che erano da picca sonate le otto e mezza.

«Nunzia, che fece, scurò?».

«Sta scuranno, nonna».

Essendo che era completamente annorbata dalla vista dei dù occhi per via di un patimento di glaucoma, la signora Bartolomeo sapiva però come cataminarsi e darsi adenzia casa casa, ma in quanto ad avvicinarsi al fornello a ligna quello no, propio no, c'era piricolo che dava foco a se stessa e a tutto il quartino che stava al secunno piano di una casuzza allocata al nummaro cinco di una via corta corta che di nome le avivano messo Arco Arena.

Perciò dù volte nella jornata la nipote Nunzia, che abitava nella strata allato e che aviva divozioni per la nonna, veniva ad addrumare il foco e a prepararle il cotto.

Quella sira del 24 aprile 1921 la vidova, arricevuta la vasata di bona nottata dalla nipote Nunzia che doviva curriri a la sò casa ad abbadare al marito e ai tri figli, comodamente assittata supra una seggia di paglia con cuscino, si dispose a far passare quell'orata o poco di cchiù che le abbisognava per conciliarsi il sonno, ascutando ogni minimo sono che dalla strata acchianava sino al balcone sò.

Macari quann'era stata picciotta aviva avuto chista particolarità di godiri di un audito finissimo che la perdita della vista le aveva affinato ancora di cchiù. Raccanosceva, dalla sola rumorata dei passi, chi d'abitudine passava per la strata e spisso c'era qualichiduno che la salutava vedendola al balcone, come presempio Tano Gasparotto, quello che aviva un negozio di panni al Corso, o come Filippo Chinnìci, quello che vinniva pisci, ma lei sapiva già di chi si trattava prima ancora che il passante rapriva la vucca.

Ma non solo con gli òmini, macari con le vestie ci 'nzirtava dal battere degli zoccoli: la mula di Melo Trupìa, il cavaddro di Simone Cuccia, lo scecco di Nicola Sanfilippo.

Una volta sola, a scascione di uno spavintoso fracasso mai sintuto prima, si era pigliata uno scanto tale che per poco non le era venuto un sintòmo: tutto 'nzemmula aviva intiso scoppiare una serie di botti cchiù forti delle bombe della maschiata che facivano in onore di san Libirtino. E i botti erano accompagnati da un pepè pepè pepè lacerante, che pariva la voci di un agneddro scannato.

Si era susuta dalla seggia di paglia cchiù di prescia che poteva, aviva inserrato le persiane, era andata a gettarsi sul letto col trimolizzo per lo scanto.

Il matino appresso Nunzia le aviva spiegato come qualmente che quei botti li faciva una delle dù cchiù importanti novità del pàisi e precisamenti quella che si chiamava potomobile.

«E che è?».

«Una carrozza ca camina senza bisogno di cavaddri. Come fa 'u treno».

«E chi se l'accattò?».

«U marchisi Cuffaro della Spinotta».

E figurati se Spinotta, l'omo cchiù ricco del pàisi, non s'accattava la potomobile!

«E l'antra novità qual è?».

«Si chiama ginematò».

«E che è?».

«È una machina che fa vidiri òmini e fìmmini supra a un linzolo bianco».

«E pi vidiri un omo e una fìmmina supra a un linzolo c'è di bisogno di una machina?».

Nunzia le aviva dato altre spiegazioni, ma la nonna non ci aviva accaputo nenti, si era stuffata e aviva cangiato discorso. Doppo, automobili (si chiamavano accussì, glielo aviva detto in chiesa la maestra Pancucci) ne aviva sintuto passare altre e non si era cchiù scantata.

Quella sira del 24 d'aprili c'era un vinticeddro liggero liggero che le portava il sciauro del gelsomino che teneva in un grande vaso sullo stisso balcone. Si calò in avanti, allungò una mano, tastiando colse cinco fiori, ne aspirò il profumo, se li infilò sutta alla pettorina, accussì le avrebbero portato friscura sulla pelle.

Antonio (Nino) Impallomèni

«Ma quanno minchia si decide a scinniri 'stu grannissimo cornuto?» si spia nirbùso Nino Impallomèni.

Figlio dell'avvocato Calogero Impallomèni, considerato un principe del foro, e della marchisa Angiolina Tesauro, Nino appartiene a una delle meglio famiglie del paìsi: è un picciotto longo e sicco che ci ammanca qualichi misi per addivintare vintino. Frequenta l'università di Palermo e studia liggi.

Ora sinni sta con la grecchia mancina impicciata alla porta della sò casa, aspittanno il momento nel quale avrebbe sintuto i passi del dottor Burruano che scinnivano le scale dal piano di supra. Alle otto spaccate di ogni sira che il Signuruzzu mannava sulla terra, il dottor Calogero Burruano nisciva da casa sbattenno accussì forte il portone che trimavano macari i vetri del terzo piano e sinni andava a jocare a carte, fino alla mezzanotti, al circolo «Fede & Progresso», lascianno sola in casa la mogliere, la quarantina signora Adelina.

La quale signora, che in quell'appartamento al terzo e ultimo piano si era trasferita col marito tri misi avanti, doppo una quinnicina di jorni che ci stava, si era casualmente incontrata con Nino, di frisco tornato dagli studi palermitani, e di subito si era fatta priciso concetto su come passare tempo nelle ore serotine quanno il marito sinni andava al circolo.

Nino Impallomèni e Adelina Pircoco in Burruano si erano intisi a prima taliata, non c'era stata quasi nicissità di scangiare parola.

Un quarto d'ora appresso l'incontro (il tempo stritto per darsi una bella lavata) Nino acchianava le scale che lo portavano al terzo piano. Fece per tuppiare, ma s'addunò che la porta era accostata. Trasì e se la inserrò alle spalle. Il quartino era allo scuro, una luce sola si vidiva provenire dall'ultima porta a destra nel corridoio. S'avviò cauto verso quella lumèra. Nella sò cammara matrimoniale, la signora Adelina stava già corcata, pudicamente tirandosi il linzolo fino a sutta l'occhi.

«Non mi fari male, sugnu dilicata».

Nelle dù ore che vennero appresso, Nino Impallomèni si fece pirsuaso che, nel caso specifico, il dilicato era lui. Quanno, doppo la terza ripresa, sintì la signora Adelina che teneramente gli murmuriava all'orecchio se c'era la possibilità di continuare ancora, Nino si era susuto di scatto dal letto dicenno che s'era scordato di un appuntamento importante.

Quella sira del 24 d'aprili finalmenti il dottor Burruano s'addecise a scinniri le scale e ad andarsi a raspare le corna al circolo. Erano le otto e deci e lui si doviva vidiri con Titazio e con Lillino massimo alle otto e un quarto. Pacienza, l'avrebbero aspittato. In un vidiri e svidiri Nino s'attrovò nella càmmara di letto della signora Adelina, si levò di furia la giacchetta, si calò i cazùna, li scalciò. I pantaloni andarono a sbattere contro una parete, facendo una rumorata metallica, sia pure attutita dalla stoffa.

«Che hai in sacchetta?» spiò la signora.

«Il revorbaro» arrispunnì il picciotto trasenno sutta al linzolo con le scarpe. E aggiunse:

«Stasira ho sì e no un quarto d'ora di tempo».

«E io ho le mie cose» fece, arrussicanno, la signora.

«A tutto c'è rimeddio» disse Nino.

La fece stinnicchiare sulla panza, le mise una mano sulla vucca per impedire che l'immancabile vociata si sentisse dalla strata, con l'altra le calò la mutanna protetta dal panno.

«Ah» si limitò a fare la signora quanno lo sentì forzare.

Non aviva gridato, e quell'ah era più di soddisfazione che di duluri.

Tito Tazio (Titazio) Sandri

Il vintino Tito Tazio Sandri, 'ngiuriato Titazio, era arrivato in paìsi dalla natìa Cremona verso la mità del mese di novembiro del 1920. Disse che era vinuto solo per fare un salutino alla nonna materna, una visita che sarebbe durata massimo massimo una decina di jorni, e che doppo se ne sarebbe tornato al nord.

Invece la partenza era stata ritardata di simana in simana, dato che in paìsi Titazio ci si era attrovato bene assà, aveva fatto le amicizie giuste, e la nonna Pippina pruvidiva a tenergli la sacchetta sempre cantante, pirchì per parte sò Titazio non accanosceva cosa era travaglio e s'arriprometteva di non accanoscerlo mai.

Scioperato per vocazione, manisco, sempre pronto all'azzuffatina, a Cremona, indovi sò patre si guadagnava onestamente il pane come piccolo commerciante di vestiame, Titazio, in seguito a una violenta sciarriata in una taverna, aviva spiduto allo spitale, cchiù morto che vivo, un sò cumpagnuzzo di vivuta. Titazio era àvuto e grosso, ma i tri frati del cumpagnuzzo che aviva mannato allo spitali erano dù volte cchiù grossi e cchiù àvuti di lui. Nello scanto che questi gli rompessero il tafanario, Titazio era stato pigliato di subitaneo amore per la nonna che abitava in Sicilia e che prima non aviva mai né vista né accanosciuta. Donna Pippina Melluso, che di sò aviva terre e case, si era affatata del bello nipote che le addimostrava affetto e premure.

A farla breve, il salutino durava da misi e misi. E non si vidiva motivo per cui non doviva ancora continuare.

Quella sira aviva appuntamento con dù amici della «Lega antibolscevica», Nino Impallomèni e Lillino Grattuso, massimo alle otto e un quarto, in una taverna fora mano che pigliava il nome sò dalla contrata nella quale era allocata, Santa Pitronilla.

Calogero (Lillino) Grattuso

Lillino Grattuso era un diciottino che faciva la terza liceo. Di bona famiglia e di bona ducazione, vistiva cchiù a modo che liganti, la sicaretta eternamente in vucca, la taliata maliziusa, un surriseddro di superiorità sulle labbra. Non si potiva propio diri un picciotto simpatico. A scola, i sò compagni lo scansavano e a malgrado che non studiava, i professori lo promuovevano l'istisso, soprattutto per rispetto alla famiglia.

Fascista, per una specie di continua mattana di giovinanza era sempre primo nelle manifestazioni della «Lega antibolscevica», fondata da un picciotto tanticchia cchiù granni di lui, il baronello Federico Talè di Santo Stefano, manifestazioni che finivano a pagnittuna, timpulate, vastoniate, coltellate e sputazzate negli scontri con gli odiati rossi.

I quali rossi, nel sittembiro avanti, avevano conquistato la maggioranza in municipio e avivano fatto eleggere come vicesinnaco il capo degli zolfatari, Agostino Cassar. La facenna aviva squasi fatto nesciri pazzi di raggia per la sconfitta Federico Talè di Santo Stefano e i sò leghisti, Addolorato Mancuso e i sò fascisti, Arcangelo Lopane e i sò nazionalisti.

Si erano messi tutti assieme per le elezioni, avivano girato casa casa per convinciri i borgisi del prìcolo che erano i rossi, avivano spinnuto soldi e sudore, ma non ce l'avivano fatta contro quella feccia dell'umanità che erano i surfatari, i ferrovieri, i muratori, i viddrani di campagna. La vrigogna della sconfitta viniva aggravata dal fatto che questa gentaglia, quanno per una manifestazione si trovava a passare, bandiere rosse in testa, davanti al civico 88 di via Roma, indovi avivano sede comune fascisti, leghisti e nazionalisti, immancabilmente isava il vrazzo destro col pugno chiuso, sovrapponendogli, all'altezza del bicipite, il palmo della mano mancina. Il tutto accompagnato da un subissante coro di frisca e pìrita.

Il che era puntualmente capitato macari sabato 23 d'aprili e il baronello Talè di Santo Stefano si era arraggiato tanto che gli era vinuto un attacco, era caduto narrè dritto come un vastoni di scopa, l'occhi sbarracati e arrivoltati, la vàvira bianchizza che gli nisciva dalla vucca.

Con una semprici taliata, Nino, Titazio e Lillino avivano addeciso di lavare l'offisa alla prima occasione.

Quanno quella sira del 24 Lillino arrivò alla taverna, ci attrovò solo a Titazio.

«E Nino?».

«Si vede che stasera la signora Adelina ha bisogno del contropelo» fece Titazio.

Lillino si era appena assittato che propio in quel momento cinco pirsone si fermarono davanti alla porta.

«Che facciamo? L'aspittamu fora o intanto trasemu?» spiò uno.

«Trasemu» arrispunnì un altro.

E accussì Lillino e Titazio vittiro in faccia i cinco che intanto pigliavano posto a un tavolo granni. Erano Savaturi Jacolino, Pepè Biancheri, Totò Cumella, Ciccio Spampinato, Cataldo Farruggia, tutti muratori, tutti cornuti socialisti. La squatra, al completo, del capomastro Michele Lopardo.

«Che vi porto?» spiò ai muratori il patrone della Santa Pitronilla.

«Ora nenti» fece Totò Cumella.

«Stiamo aspittanno a Michele» gli spiegò Ciccio Spampinato.

«Amuninni» disse a voce vascia Lillino.

Titazio lo taliò strammato.

«E perché? Questi qua non pare abbiano l'intenzione di fare casino».

«Amuninni» ripeté Lillino susennosi e avviannosi verso la porta.

Titazio agguantò il vastone da pecoraro dal quale non si separava mai e lo seguì. Niscirono all'aperto, faciva già scuro, il lampione allato alla porta era stato addrumato.

«Vuoi spiegarmi che ti ha preso?».

«L'hai capito a chi stavano aspettando quelli là?».

«Certo, aspettavano Michele Lopardo. E allora?».

«Se ci sappiamo fare e arrinisciamo a intercettarlo da solo, mentre sta vinendo qua, i sò cumpagnuzzi l'aspitteranno per un pezzo» disse Lillino tirando fora dalla sacchetta il pugno di ferro che si portava sempre appresso.

Nino Impallomèni in quel momento arrivò di corsa.

Michele Lopardo

Michele Lopardo, vintinovino, maritato e patre di dù figli nichi, si è fatta la guerra e doppo, congedato e tornato in pàisi, ha ripigliato il travaglio sò di capomuratore, apprezzato e onesto.

«Se non fosse che è socialista, sarebbe propio una pirsona pirbene» dicono i borgisi che hanno chiffari con lui. Federico Talè di Santo Stefano però non gliela pirdona:

«Ma come?! Uno come a lui che ha eroicamente combattuto, che è stato dicorato, mettersi a fare propaganda rossa tra i reduci! Sapete come si chiama questo modo di fare? Si chiama alto tradimento!».

«Voi lo nobilitate parlando di tradimento» interviene Arcangelo Lopane. «Quello un delinquente comune è! Ce lo siamo scordato che è stato in galera?».

Nel 1914 Michele Lopardo si era fatto sei jorni di càrzaro per porto di coltello di genere vietato. Ma questa facenna del coltello tutti, amici e nemici, sanno che è andata in modo diverso assà, che si è trattato di una gran tragediata. Dunque, alle novi di sira del deci di majo del 1914, Michele, pirsona già considerata a malgrado della giovinanza e della nominata di

31

socialista, stava tornando a la sò casa di prescia e col bavero della giacchetta isato pirchì faciva un gran friddo. Passanno per una stratuzza, aviva visto dù òmini che si stavano azzuffanno malamente, dandosi botte all'urbigna. Era intervenuto per dividerli, ma gli viniva difficile pirchì quelli parivano dù cani arraggiati. In quel momento era passata una pattuglia di carrabinera i quali, tanto per non sapiri né leggiri né scriviri, avivano portato in caserma tanto Michele quanto i due che s'azzuffavano. Ammàtula Michele aviva contato che in quella storia lui c'era trasuto solo come appacificatore, non era stato criduto e l'avivano perquisito. In sacchetta i carrabinera gli attrovarono un liccasapuni, un coltello di quinnici centimetri di lama. Michele non disse che l'arma non gli apparteneva, come era la virità, pirchì capì di subito d'essiri caduto in un trainello, uno dei dù finti litiganti glielo aviva infilato in sacchetta. Ammettere d'essiri stato fatto fissa in quel modo viniva a dire, davanti a tutto il pàisi, che lui non era altro che un babbiunazzu, un quaquaraquà, un pupo. Fu perciò che ammise, davanti al giudice, che il cuteddro era sò. Si era trattato di un avvertimento che gli òmini d'ordine e gli òmini d'onore (che spisso e volentieri dalle parti mie vanno d'amuri e d'accordo) avivano voluto gentilmente fargli arrivare: o la finisci con le tò minchiate socialiste o la prossima volta ti conziamo un altarino tale che dal càrzaro ne nesci solo quanno sarai addivintato vecchio.

Chiamato alle armi, era stato promosso caporale sul campo per il coraggio dimostrato durante un attacco astrèco. Alle elezioni del sittembiro del 1920 era addivintato capo dei consiglieri municipali socialisti. Doppo la scissione socialista di Livorno aviva fondato la sezione del Partito Comunista d'Italia.

Quella sira del 24 d'aprili, Michele Lopardo aviva dato appuntamento agli òmini della squatra muratori per le sette e mezza davanti al portone della sò casa: avivano 'ntinzione d'andare alla taverna di Santa Pitronilla per festeggiare un novo travaglio che sarebbe principiato il jorno appresso, lunedì. Qualichiduno portò ritardo, fatto sta che si misero in camino alle otto. In corso Vittorio Emanuele ci stava la sede del Circolo ferrovieri, «vero e proprio verminaio dei socialisti locali», come lo definiva il baronello Talè di Santo Stefano. Davanti alla porta del Circolo c'era un gruppo di pirsone che discuteva, una di queste vitti passare a Michele e lo chiamò.

Il capomastro disse ai sò òmini di andare avanti a pigliare posto nella taverna e s'avvicinò a quello che l'aviva chiamato.

Per arrivare alla taverna abbastava firriare l'angolo, farsi via Arco Arena che era una strata corta, voltare ancora a sinistra e doppo pochi metri era fatta.

La chiacchiariata che Michele Lopardo si fece coi compagni durò chiossà di una mezzorata.

Potivano essiri quasi le nove quanno il capomastro, firriato l'angolo, si trovò davanti a via Arco Arena.

Fermo immagine

Il fermo immagine, in una moviola di montaggio, serve a bloccare un fotogramma, per studiarvi ogni particolare che vi è impresso.

Michele Lopardo, di spalle, è vistuto di festa con l'abito bono, giacchetta scura e cazùna chiari, in testa tiene un cappeddro floscio. Non ha vastone da passeggio.

Ha appena firriato l'angolo di corso Vittorio Emanuele e si trova davanti a via Arco Arena che deve fare tutta e po' girare ancora a mano manca per arrivare all'osteria di Santa Pitronilla.

La figura di Lopardo divide in dù il fotogramma interamente occupandone con la sò sagoma la parte a mano dritta, perciò di via Arco Arena, che è corta ed ha quindi scarsa profondità nell'immagine, s'intravidi, e malamente, il solo lato mancino.

In alto a manca, per la luminosità che proviene certamente da corso Vittorio Emanuele, è possibile vidiri abbastanza chiaramente un lampione a muro che a quest'ora dovrebbe essere stato addrumato e invece non lo è.

Difatti la testa di Michele Lopardo è leggermente isata e votata a sinistra, mostra un inizio di profilo pirchì sta taliando propio quel lampione e di certo si sta addumannanno pirchì è astutato.

Per quanto si può capire dall'immagine, ha avuto come la 'ntinzione di accompagnare il movimento della testa con un gesto della mano manca, il vrazzo è tanticchia sollevato rispetto al fianco.

Non sappiamo se macari l'altro lampione, quello che si trova dalla parte opposta, ma più verso il centro della strata, sia astutato o addrumato: non lo vediamo perché è completamente cummigliato dalla sagoma di Lopardo. Ma dev'essere macari lui astutato, altrimenti la figura del capomastro spiccherebbe alonata in una specie di controluce che qui viene a mancare del tutto.

In funno a via Arco Arena c'è invece una zona di chiarore, probabilmente si tratta della luce splapita che proviene dal fanale che è situato propio darrè l'angolo, al principio cioè di via Santa Pitronilla e che quindi non è visibile da questa posizione di ripresa.

Purtuna, finestri, balcuna non si distinguono pi nenti, macari se ci fosse un'illuminazione maggiore non si vedrebbero l'istisso, tutto a causa della particolare angolazione che è stata data alla machina da presa.

Però s'arrinesce a notare, a mità della strata, un tratto di scuro cchiù fitto e denso: deve essiri l'arco che dà il nome alla via e che immette nel nenti, o meglio, in uno spiazzo fatto di petre, di canala rotte, di muri sdirrupati, di quello che, a fini d'ottocento, era stato un grannissimo magazzino di sùrfaro.

Se non avessimo fatto ricorso alla moviola, probabilmente l'impercettibile movimento della testa di Michele Lopardo non si sarebbe potuto notare, invece il fermo immagine, immobilizzando tempo e azione, fa sì che quel movimento risulti sottolineato.

Dunque quel movimento c'è stato e se c'è stato qualichi cosa deve viniri a significare.

Probabilmente la prima cosa che Michele Lopardo ha notato, girando l'angolo e abbandonando corso Vittorio Emanuele, è che via Arco Arena è deserta, non si vidi anima criata.

Il che viene a dire che l'òmini della sò squatra la strata hanno avuto il tempo di percorrerla tutta, pirchì la parlata che lui ha avuto con quel tale davanti al Circolo dei ferrovieri è durata cchiù a longo di quanto aviva previsto.

Lapalissiano: se la strata è deserta, lui è di conseguenzia solo. A pinsare una cosa accussì, veni da rìdiri, invece non c'è da aviri il cori allegro.

Girare da solo, e soprattutto la sira, è per Michele Lopardo una condizione di rischio.

Dù volte gli hanno sparato.

La prima volta hanno mirato alto, apposta per non colpirlo. Era la stati precedente, faciva càvudo assà, Michele non arrinisciva a pigliare sonno, si susì dal letto, s'affacciò al balcuni, principiò a fumarsi una sicaretta coi gomiti appuiati alla ringhiera. Il colpo vinni dallo scuro fitto di un vicolo, la pallottola andò a infilarsi nella parte superiore della persiana di mancina ch'era spalancata. Chiaramente una intimidazione.

La secunna volta era capitata jorno dù del misi appresso, alle otto di sira: mentre stava infilando il chiavino per raprire la porta di casa, sintì un colpo sparato bastevolmente vicino e il cappeddro gli volò dalla testa, trapassato da parte a parte.

Stavolta avivano tirato ad ammazzare.

Non aviva fatto denunzia dei dù attentati. Che ci potiva fare la liggi?

La meglio era stare accorto: essiri sempre accompagnato da qualichiduno soprattutto quanno scurava e tenere in sacchetta un'arma.

Non legalmente, però: la vecchia cunnanna per la facenna del cuteddru di tanti anni avanti non gli acconsentiva il portodarmi.

Subito appresso aviri visto che la strata è deserta, Michele Lopardo ha notato i lampioni astutati. Via Arco Arena è completamente allo scuro.

Si può affermare con certezza che il movimento che fa il capomastro, mentre talia il lampione di mancina, esprime una perplessità, una domanda: perché la via è senza illuminazione?

Di tutto quello che passò per la testa di Michele Lopardo non ci resta che quell'impercettibile movimento.

Doppo Michele fa il primo passo che lo porta dintra la strata e le immagini ripigliano a scorrere velocemente.

Quello che successe in via Arco Arena (uno)

«Che fate? Aviti cangiato idea? Dove state andando?» spiò Nino Impallomèni col sciato grosso per la cursa che si era fatta.

Aviva curruto non pirchì portava ritardo all'appuntamento, ma pirchì voliva contare a Titazio e a Lillino quello che aviva cumminato con la signora Burruano.

Titazio gli disse l'occasione che s'apprisentava, e che non c'era da perderci tempo, bisognava pigliare a Michele prima che arrivava alla taverna.

La testa di Lillino era quella che caminava meglio e fu perciò naturale che gli altri dù lo taliassero per sapiri come cataminarsi.

«Facemo accussì. Ora giramo l'angolo e andiamo in via Arco Arena. Se lui è già sulla strata, pacienza, facciamo finta che manco l'abbiamo arraccanosciuto e tiramo dritto. Se lui non ha invece pigliato ancora la strata, bisogna astutare subito i dù lampioni e doppo andarsi ad ammucciare dintra all'arco. Quanno ci viene a tiro, attacchiamo».

«E comu l'astutamu, i lampiuna, a pitrate?» spiò Nino.

«No. Tu m'aiuti ad acchianare addritta sulle spalle di Titazio, io giro la chiavetta e bonanotti».

Titazio era àvuto quasi un metro e ottanta, Lillino non era àvuto ma in compenso pisava una cinquantina di chila scarsi. La cosa potiva funzionare.

«Che aspettiamo?» fece Nino.

Appena girarono l'angolo e si trovarono davanti a via Arco Arena, s'addunarono che i dù fanali erano astutati. O il lampionaro s'era scordato d'addrumarli o non funzionavano. Ad ogni modo, tutto travaglio risparmiato.

Trasirono di cursa dintra allo scuro fitto dell'arco.

«Silenzio assoluto» ordinò Lillino. Appizzò le grecchie, voltato a taliare verso i ruderi del vecchio magazzino. Era cògnito che nel loco qualichi volta ci viniva Maddalena, una delle dù troie del paìsi, e ci capitava macari di tanto in tanto il cavaliere Orazio Prestipino, omo d'ordine e di famiglia, camerata della primissima ora, che amava insignare ai caruseddri certi rudimenti di grammatica pilosa che propio propio non erano né d'ordine né di famiglia.

Lillino sintì solamente qualichi fruscio, sorci o gatti che facivano la vitazza sò. Testimoni non ce ne sarebbero stati, almeno da quella latata.

Lillino voliva essiri pronto col pugno di ferro, ma non l'attrovò. Circò nelle sacchette, nenti. Doviva essergli caduto mentre curriva dalla taverna verso l'arco. Con quello scuro, non l'avrebbe mai attrovato.

«Dammi 'u vastuni» disse a Titazio.

«Perché? Non hai il pugno di ferro?».

«Devo averlo perso».

«E io come faccio?».

«A tia t'abbastano le mano».

Convinto, Titazio gli dette il vastuni.

«Io ho il revorbaro» intervenne Nino.

«Te lo metti in culo, il revorbaro» scattò Lillino. «A Michele Lopardo stasira dobbiamo solo dargli una fracchiata di legnate, botte da levargli il pilo e basta».

«A proposito di culo e pilo» principiò Nino «vi volevo contare che la signora Adelina...».

«Doppo ce lo conti» tagliò Lillino, nirbùso.

«E sempre a proposito di culo, vi devo comunicare che mi scappa di cacare» proseguì Nino.

«Ora?!».

«Ora, sissignura. Non la tengo cchiù. Che se doppo me la faccio nei cazùna, voi niscite la filama che mi sono cacato per lo scanto che m'ha fatto Michele Lopardo».

«Fai di prescia».

Nino Impallomèni s'appartò darrè un muro vascio.

«C'è uno scuro che si taglia cu 'u cuteddru» fece Lillino sporgendo la testa dall'arco e taliando la strata. «Come faremo a capiri che si tratta propio di Michele?».

«Intanto, il primo che passa lo meniamo lo stesso».

Titazio non vidiva l'ora, sintiva nelle mano le formicole.

«Che minchia di ragionamento! E se metti caso è uno dei nostri?».

«Diremo che sono stati i socialisti».

«Zìttiti! Sta arrivanno uno!» fece Lillino tiranno narrè la testa.

«Hai capito se è lui?».

«No. Facemu accussì: appena arriva alla nostra altizza, lo chiamo. Se si ferma, viene a dire che è lui. Ora, muto».

Lillino infilò dù dita nel taschino della giacchetta, ne cavò fora una coccarda triccolore, se l'appuntò. Lo faciva sempre prima di un'azione, di uno scontro, a significare che, pur vistendo abiti civili, lui era un sordato impegnato in un'azione di guerra contro i rossi.

Michele Lopardo vuole fare via Arco Arena cchiù di prescia che può. E perciò allunga il passo quanto glielo permette la gamba mancina dù volte offisa. Non zuppichìa, ma lui avverte che quella gamba scassata ha i muscoli come se fossero ingravugliati. La prima offisa la patì in trincea, una scheggia di shrapnel gli s'infilò nel polpaccio. Lo portarono in barella in uno spitale da campo, a lui toccò un medico picciotto picciotto, macari ancora senza varba era, si vede che l'avivano mannato a fare pratica coi feriti.

«Non preoccuparti, è roba da niente».

Difatto Michele non era pi nenti prioccupato, accomenzò ad esserlo doppo che quello gli aviva forzato dintra la firuta una specie di pinza e circava di tirargli fora qualichi cosa che aviva agguantato che non era la scheggia, ma un muscolo o un nerbo.

«Non vuol venire via».

«Dottore, mi scusasse, stasse attento che quello che lei pigliò con la pinza non è la scheggia».

«Ah, no? Allora che è?».

46

«Mah, un nerbo, un osso, nun lo saccio».

«Allora perché non dici ahi?».

Michele non seppe spiegarglielo pirchì non gli viniva di dire ahi.

Da allura in poi la gamba non fu cchiù come prima.

La secunna offisa la patì una quinnicina di jorni che, finita la guerra, aviva ripigliato a travagliare. Cadì da un'impalcatura e si rumpì una gamba, naturalmente la mancina. E oltretutto dovitti ringraziari 'u Signuruzzu che gli era andata bona.

Arrivato all'altizza dell'arco, a Michele gli vinni gana di fumare. Si fermò, si mise una sicaretta in vucca, addrumò uno zolfanello tenendolo tra le mano a coppa.

La sò faccia pigliò luce. E fu come se avisse dato nome e cognome agli appostati.

Sentì una rumorata di passi vinire a velocità dall'arco, ebbe appena il tempo di vidiri con la cuda di l'occhio dù ùmmire che s'apprecipitavano verso di lui. Di pigliare il fujuto, manco a pinsarlo, quelli lo avrebbero immediatamente raggiunto.

Si mise spalle al muro e invece d'aspittare d'essiri attaccato, attaccò lui per primo, tirando un gran cazzotto in faccia all'ùmmira granni e grossa che gli venne cchiù a tiro. A causa dello scuro era sì un'ùmmira, ma aviva carne e consistenza d'omo, tant'è vero che fece una vociata, una specie di grugnito maialisco e si tirò narrè.

Tinenno affirrato con le dù mano il vastuni da pecoraro, Lillino calò una gran botta. Era diretta alla testa di Michele, invece lo pigliò a una spalla.

Una qualisisiasi altra pirsona sarebbe rimasta assintomata per il duluri, il capomastro invece non fece manco biz, al posto delle spalle non aviva cchiù pelle e carne, ma dù callosità, dù caddri enormi dovuti a centinara, a migliara di secchi di quacìna trasportati da quanno era decino e faciva l'aiuto muratore.

Michele si girò di scatto e intuì che una secunna vastonata stava per pigliarlo sulla testa. Isò istintivamente un vrazzo a parare la botta, ma il potenti càvucio sulla schina che gli arrivò da Titazio lo spostò avanti, gli fece perdiri il quilibrio. Allungò le vrazza stise, quasi abbrazzò a Lillino, se lo portò appresso nella caduta, lui supra, l'altro sutta.

Di subito Michele si rotolò sul fianco, perdendo il cappeddro, e sentì una secunna vociata di duluri: a farla era stato chi un attimo prima stava sutta di lui, evidentemente colpito al posto sò da un altro càvucio di quello che pariva cchiù mulo che omo.

Doppo ci fu un movimento d'assestamento. Michele s'arrimiggiò bene con le spalle nuovamente al muro, l'omo che era 'n terra si susì.

Il fatto che nisciuno fino a quel momento aviva ditto una parola, una biastemia, un insurto, stava a significare una cosa sola: che la sciarra sarebbe stata seria, 'ncaniata, arraggiata.

A malgrado di questo, il capomastro non si sintiva prioccupato, da solo contro dù era capaci di farcela, eppò uno dei dù, quello che aviva il vastuni, era un gramusceddru, un piccolino di scarsa forza. Era l'omo-mulo la vestia piricolosa: se un càvucio di quella potenza lo pigliava nei cabasisi, potiva considerarsi catafero.

Michele si disse che era importante arrinesciri a impadronirsi del vastuni.

Ma pirchì non attaccavano? Michele li sentiva respirare forte, uno a dritta l'altro a mancina. Stava per decidersi ad abbintarsi sull'ùmmira di dritta, che doviva essiri il gramusceddru col vastuni, quanno sentì viniri una voce dall'arco:

«Staiu arrivannu, picciotti!».

A Michele ci cadì il cori 'n terra. Se quelli addivintavano tri, la partita era persa. Come se avissiro pigliato coraggio al solo sintiri la voce amica, i dù attaccarono contemporaneamente senza aspittare l'arrivo del terzo compagno.

E fu la volta bona. Un colpo di vastuni pigliò in pieno la fronti di Michele, gli spaccò di netto il sopracciglio destro. Accecato dal sangue che di subito principiò a nescirgli a fontana, Michele ebbe la prisenza di spirito d'agguantare il ligno e principiare un tira e molla.

L'omo-mulo ebbe accussì la commodità di sferrargli un càvucio in piena panza. Gli mancò il sciato, le gambe gli si fecero di ricotta, si piegò, sforzandosi di non cadiri. E la terza ùmmira, quella appena arrivata, gli satò di supra di darrè, affirrandolo con un vrazzo sutta alla gola. Arriniscì a dargli una gomitata, tanto che l'altro sciddricò, ma nella sciddricata s'aggrappò alla giacchetta e alla cammisa di Michele che sentì la stoffa lacerarsi.

La terza ùmmira non mollava la presa e il capomastro venne a trovarsi come impedito dal vistito che l'altro attanagliava. L'omo-mulo gli tirò un altro càvucio, gli arrivò un'altra vastonata. Ma il vastuni dovette scappare dalle mano di chi l'impugnava, pirchì Michele lo sentì sbattiri contro il muro di una casa.

Cadì 'n terra, con la sinsazione d'essiri perso. E capì che ora ch'era 'n terra, quelli avrebbero potuto alliquidarlo come volivano. E fu solo allura che s'arrisolse a fare quello che non avrebbe mai voluto fare.

Cerca affannosamente nella sacchetta di darrè dei cazùna, scoccia il revorbaro, lo impugna saldamente per quanto glielo possono permettere i càvuci che gli arrivano da tutte le parti. Punta in aria, preme il grilletto.

Lo scoppio gli sona lontano, non vede manco il lampo, non si rende conto d'aviri sparato a occhi chiusi.

I tre si scansano, per un attimo l'attacco si ferma.

Michele si susi da terra, vorrebbe dire agli altri d'irisinni, ma non arrinesce a parlare, ha la vucca piena di sangue, qualche càvucio deve avergli scassato i denti. Si appoia al muro, la gamba offisa ha ceduto, non regge cchiù il sò peso.

Dall'ùmmira dei tri che ora formano una sola grossa ùmmira, se ne stacca una, d'un balzo gli è supra. Sente dita maligne afferrargli la gola, stringere. Sta assufficando, non può cchiù respirare, non ha cchiù manco la forza d'isare il vrazzo col revorbaro. Gira la mano che impugna l'arma, sperando che accussì la canna è rivolta in alto, preme di nuovo il grilletto. Il botto stavolta è assordante, sembra lo scoppio di una mina da cava.

Michele non vede nenti, ancora una volta ha sparato ad occhi inserrati. Avverte però che la spinta di quello che lo stava assufficando si è fatta immediatamente meno violenta, appresso la presa torno torno al collo s'allenta, le mano si raprono, il corpo dell'altro sciddrica lungo 'u sò, gli cade ai pedi con una rumorata sicca, forse la testa ha sbattuto supra a una petra della strata stirrata.

Qualichiduno grida qualichi cosa che il capomastro manco capisce, ha le grecchie ancora intronate dal botto, ma sente comunque i passi degli altri che finalmente sinni stanno scappando.

Macari lui vuole irisinni da quella strata mallitta e mette un pedi avanti, ma incespica in un ostacolo.

Di colpo sa di che cosa si tratta, la sente a pelle, non c'è manco bisogno di taliarla. Allora aggela e suda, suda e aggela, accomenza a trimoliare tutto, una specie di lamento continuo principia a nescirgli dalla vucca senza che nc abbia cuscenzia.

Si mette il revorbaro in sacchetta, trova in un'altra sacchetta mezza scusuta la scatola di surfaneddri, ne addruma uno, si cala.

Il picciotto stiso 'n terra ha l'occhi sbarracati, gli ammanca la parte mancina della fronti, al posto sò c'è una massa scura di sangue. Michele ha visto troppi morti ammazzati durante la guerra, si fa pirsuaso che per quel picciotto non c'è cchiù nenti da fare.

Si gira e si mette a caminare verso corso Vittorio Emanuele, verso i compagni del Circolo ferrovieri. Con una mano s'appoia al muro, ha le vertigini, nell'altra ha nuovamente il revorbaro e non sa quanno l'ha ritirato fora, è stato un gesto dettato dallo scanto di un altro incontro tinto.

Ancora la moviola

La macchina da presa ora è stata spostata abbastanza in avanti, dentro via Arco Arena, l'angolazione però è sempre la stessa e non c'è stato nessun cambio d'obiettivo.

Rispetto al fotogramma analizzato in precedenza, le condizioni della ripresa sono assai peggiorate, la nuova posizione della camera non permette più di usufruire di quel minimo d'illuminazione proveniente dalle luci di corso Vittorio Emanuele.

È stato possibile comunque isolare due momenti nei quali la scena si viene a trovare assai debolmente rischiarata dalle fiammate di due spari ad opera della stessa persona.

Si tratta comunque di un numero infinitesimo di fotogrammi che vanno osservati al rallentatore.

Primo sparo. Michele (l'ombra che certamente gli appartiene) è a terra, dà le spalle alla camera, è disteso sul fianco sinistro, il braccio sinistro è allungato con l'avambraccio piegato a metà, il palmo della mano poggia sul terreno.

Facendo scorrere lentamente la pellicola avanti e indietro si capisce che l'uomo sta cercando di sollevare almeno il busto.

Il suo piede destro poggia con forza contro il muro di una casa, la gamba sinistra si sta invece ripiegando sotto quella di destra che è completamente tesa.

La testa di Michele è inclinata verso la spalla sinistra, il braccio destro è proteso tutto verso l'alto, la mano che impugna il revolver è abbastanza visibile, illuminata in pieno dalla fiammata.

Poco a sinistra della testa di Michele (che è orientata verso il centro della via) c'è l'ombra (frontale rispetto alla camera) di un uomo alto e grosso, sta finendo d'allargare le braccia per mantenersi in equilibrio, la gamba destra è sollevata, il ginocchio piegato, il piede sporge all'indietro, la punta rivolta verso il basso.

Sta per dare un calcio in faccia a Michele.

Probabilmente il suo proposito andrà a segno malgrado lo sparo, la posizione è troppo sbilanciata, il movimento non è più arrestabile.

Una seconda ombra (di spalle rispetto alla camera) ha il braccio sinistro alzato e quello destro teso lungo la linea della spalla.

Il piede sinistro poggia a terra, quello destro si confonde con l'ombra di Michele. Evidentemente gli sta dando un calcio all'altezza del fianco.

Sempre in piedi, quasi a paro delle ginocchia di Michele, c'è un terzo uomo che sta terminando di voltare le spalle al gruppo.

L'idea di movimento che quest'uomo dà è una sorta di avvitamento su se stesso.

La ragione della torsione è da ricercarsi probabilmente nella prontezza di riflessi dell'uomo, che lo fa mettere in posizione d'allontanamento quasi contemporaneamente alla percezione dello sparo.

Secondo sparo. La disposizione dei quattro è radicalmente mutata. Sono tutti in piedi, ma formano un groviglio tale che è stato necessario far scorrere più volte la pellicola avanti e indietro per poter cogliere qualche movimento isolabile.

Il gruppo è tutto concentrato nella parte destra, al limite del fotogramma, praticamente è addossato al muro di una casa, lasciando molta aria a sinistra.

In realtà, ombre se ne possono distinguere solamente due.

La più leggibile appartiene all'uomo alto e grosso che abbiamo visto mentre prendeva a calci la testa di Michele: l'uomo è leggermente discostato dagli altri, è più verso il centro della via, è in piedi, il suo corpo pende a destra, poggia sulla gamba destra che continua a piegarsi, la testa è protesa in avanti. Con tutta probabilità sta cercando di distinguere meglio che può la posizione dell'avversario per tornare alla carica.

Impresa non facile perché le ombre che ha davanti sono due, talmente avvinghiate nella lotta da formare un'ombra unica in movimento, un'ombra mostruosa con due teste e quattro gambe.

La quarta persona non è chiaramente visibile, la si intravvede a tratti dietro ai due che lottano e vicinissima, quasi attaccata, a loro.

La linea luminosa della fiamma dello sparo sale dal basso verso l'alto, non ne possiamo però scorgere il punto d'inizio perché è interamente coperto dal corpo dello sparatore.

Qui balza agli occhi un'anomalia evidente. Riteniamo opportuno segnalarla.

La fiammata del secondo sparo è direzionata come abbiamo appena detto perché lo sparatore non ha alzato in aria il braccio destro (come ha fatto la prima volta), ma l'ha lasciato pendulo lungo il fianco e ha premuto il grilletto orientando la canna verso l'alto.

Infatti la fiammata ha prodotto un effetto di controluce che disegna, sagomandolo, un tratto del corpo dello sparatore e precisamente il tratto che va dal bacino alle spalle. La testa rimane in ombra, l'effetto di luminosità non arriva più a quell'altezza.

Quindi il volto di colui che l'ha afferrato per il collo, trovandosi allo stesso livello di quello dello sparatore, non dovrebbe essere assolutamente visibile.

Invece il volto di colui che tiene per il collo lo sparatore è fortemente in luce, quasi fosse illuminato da altra fonte qui non identificabile.

Si nota bene la macchia bianca della faccia dell'aggressore, violentemente tirata all'indietro e in parte rivolta a favore della camera.

Una più attenta osservazione dei fotogrammi mostra come la luce che illumina quel volto non possa provenire da una fonte d'orientamento basso-alto (come quella prodotta dallo sparo), ma da una fonte posta ad altezza d'uomo.

Quale spiegazione si può dare?

L'unica possibile è che probabilmente si tratta del riflesso della fiammata dello sparo rimandato da una finestra posta a piano terra.

Quello che successe in via Arco Arena (due)

Savaturi Jacolino accomenza a essiri squieto, non gli piace il ritardo che Michele sta portando. Certamente a Cataldo Farruggia veni l'istisso pinsero pirchì spia a voci alta, a tutti e a nisciuno:

«Ma quantu avi di parlari Gegè Lo Monaco?».

Gegè Lo Monaco era quello che aviva chiamato a Michele mentre stavano passanno davanti al Circolo ferrovieri.

«Sapete che vi dico?» fa Totò Cumella. «Io ci vado incontro».

E rivolto a Ciccio Spampinato:

«Dammi 'u lumi».

Ciccio Spampinato, appena calava lo scuro, viniva a vidiricci picca e nenti. Perciò la sira, quanno nisciva di casa, si portava sempre appresso un lume di quelli che i carrittera appinnivano sutta al pianale. A quel lume ci era attaccato, chiuttosto che darlo a Totò preferì dire:

«T'accumpagnu».

E addrumò subito il lume, pirchì tutta la comarca, traversando prima via Arco Arena, si era addunata che i lampioni erano astutati.

Totò e Ciccio si susino e nescino. Sono ancora a un passo dalla porta che sentono il botto della prima revorberata.

«Minchia» commenta Ciccio Spampinato.

Totò Cumella fa un passo narrè, infila la testa appena dintra alla porta della taverna:

«A via Arco Arena hanno sparato».

Si volta nuovamente e si mette a curriri seguito da Ciccio.

Il secondo sparo li piglia che sono arrivati sutta al lampione che c'è all'angolo tra via Santa Pitronilla e via Arco Arena.

«Aspetta» dice Ciccio col sciato grosso.

«Che vuoi aspittari?».

«Capace che appena firriamo l'angolo c'è qualichiduno appostato che appena nni vidi nni spara».

«Minni staiu futtennu» dice Totò.

E ripiglia a curriri seguito da Ciccio. Ma propio sull'angolo vanno a sbattire contro a dù pirsone che arrivano currenno da via Arco Arena. Il lume cade dalla mano di Ciccio Spampinato che si mette a santiare, Totò Cumella varìa per lo scontro, ma arrinesci a mantenersi addritta. Segue con l'occhi i dù che sempre di cursa non girano a mano manca verso la taverna, ma proseguono dritti, facenno una trazzera che porta al lavatoio. Intanto Ciccio, che ha ricuperato il lume che continua a funzionare, si rivolge a Totò:

«Li raccanoscesti?».

«Sì. Sono Titazio, che stava a Santa Pitronilla quanno semo arrivati noi, e Nino Impallomèni».

Dalla taverna intanto stanno niscenno Pepè Biancheri, Savaturi Jacolino e Cataldo Farruggia.

Totò Cumella si fa dare il lume da Ciccio, il quale

gli si impiccica alle spalle, e piglia a caminare quatelo-samente per via Arco Arena. All'altro capo si vede un pezzo di corso Vittorio Emanuele illuminato a jorno.

All'altizza della vucca nìvura dell'arco, Totò vede il corpo di uno, stinnicchiato immobile 'n terra.

Si ferma, e con lui si ferma Ciccio.

Totò suda, ha uno scanto tirribile di fare un altro pas-so e scopriri che l'omo 'n terra è Michele. Doppo s'ad-decide, si accula allato alla testa dell'omo. Arriconosce a Lillino. Tira un suspiro funnuto. Macari Ciccio si è calato a taliare.

«Ma chisto non stava macari lui nella taverna?» spia.

Totò non gli arrispunni, infila una mano sutta alla cammisa del picciotto, gliela tiene posata sul cori.

«Ancora vivo è».

«Michele era armato?» spia ancora a voci vascia Ciccio.

«Sì».

«Minchia!».

Ora sono arrivati gli altri, fanno mezzo circolo tor-no torno a Lillino stinnicchiato e a Totò acculato.

«Ancora vivo è» comunica Ciccio agli altri compagni.

«Chi facemu?».

A parlare è stato Cataldo Farruggia.

«Lassarlo muriri strata strata non mi pari cosa» di-ce Savaturi Jacolino.

«Aspittàti» s'arrisolve Totò.

Si susi, col lume in mano fa una vintina di passi, si met-te a tuppiare a un enorme portone inserrato, chiama:

«Don Lollò! Don Lollò!».

Nenti. Nisciuno arrispunni.

Almeno il picciotto firuto sta murenno, mentre tutti quelli che abitano in via Arco Arena parino già tutti morti, cataferi immobili nei loro tabbuti.

Totò Cumella chiama a Cataldo Farruggia e a Savaturi Jacolino.

«Pigliamo a càvuci il portone».

La rumorata dei càvuci ottiene l'effetto voluto. Una finestra del primo piano si rapre.

«Cu è?».

«Io sono, don Lollò, Totò Cumella».

«Fatti arriconosciri».

Totò si tira narrè di dù passi, talia in alto, isa il vrazzo col lume in modo che la luce gli cadi supra la faccia. L'omo che ha rraputo la finestra sta a taliarlo a longo, non avi gana di fari domande. Finalmente parla.

«E che vuoi, Totò?».

«Ci serve una sò carrozza pi portari un ferito allo spitali. Gli hanno sparato».

«Spararono?!» addimanna con finta maraviglia don Lollò mentre rinserra la finestra. «Scinno subito».

Don Lollò Sciacchitano campa affittanno carrozze. Ne possiede tri, una per funzioni quali matrimoni o vattii, una d'accompagno per funerali e una mezza scassata per servizi vari. La rimessa, che è macari staddra, è proprio sutta la casa indovi abita.

Da corso Vittorio Emanuele arriva improviso il botto di un colpo di revorbaro. Tutti sussultano.

«Minchia!» dice Ciccio che pari abbia a disposizione solo quella parola.

I sò compagni invece manco raprono vucca. Non vogliono pinsare a quello che sta capitanno a Michele.

Con una gran rumorata si rapre il portone, compare don Lollò.

«Aiutatemi a 'mpaiare la carrozza».

Dintra la rimessa trasino Cataldo e Savaturi, Totò torna verso il ferito, nuovamente s'accula, gli rimette la mano sul cori.

«Sempri vivu è».

Con un fazzoletto pulito che ha tirato fora dalla sacchetta tenta di attagnargli il sangue dalla fronti.

Finalmenti arriva la carrozza. Naturalmente la cchiù scassata.

«Cu paga?» addumanna don Lollò che è assittato a cassetta.

«Pago iu» dice Totò.

«Stai attento a non farmi allordari di sangue la carrozza».

Totò rapre lo sportello e acchiana, piglia per le spalle il ferito che Ciccio e Pepè Biancheri hanno isato da terra, se l'assistema con la testa sulle gambe.

Don Lollò spiega agli altri che per andare allo spitali non conviene passare per corso Vittorio Emanuele, ma è meglio pigliare la strata di Santa Pitronilla, si arriva prima.

La carrozza parte. I quattro rimasti s'aggruppano torno torno a Ciccio che si è ripigliato il lume.

«E ora chi facemu?» spia Cataldo.

«Andiamo a vidiri che è capitato a Michele» suggerisce Pepè.

67

«Qualichi cosa devi essiri capitato» interviene Ciccio. «Tant'è vero che nel corso hanno sparato».

«D'accordo» dice Savaturi «andiamo a vidiri. Ma è megliu se non stiamo accussì, in gruppo».

«Va beni» conclude Cataldo. «Io e Savaturi andiamo avanti. Doppo cinco minuti vènino Ciccio e Pepè».

«E indovi ci vediamo?» addimanna Ciccio.

«Davanti al Circolo».

Cataldo e Savaturi però non fanno in tempo a cataminarsi.

«Fermi! Pubblica sicurezza! Mani in alto!».

Proprio al principio di via Arco Arena, dalla parte di corso Vittorio Emanuele, sono spuntati dù òmini vistuti borgisi con i revorbari in mano.

«Astuta 'u lumi!» sussurra Pepè a Ciccio.

Ciccio gira di subito la chiavetta e i quattro addiventano invisibili nello scuro. Una delle dù guardie, che capisce la mala parata, isa il vrazzo e spara un colpo in aria.

Quel colpo è, per i quattro, come lo sparo dello starter che dà inizio a una corsa sportiva. Per primo parte, verso Santa Pitronilla, Cataldo Farruggia seguito da Pepè Biancheri. Tanticchia distaccato dal gruppo di testa, Savaturi Jacolino. Per ultimo, Ciccio Spampinato che nello scuro fitto non vidi nenti di nenti.

«Fermi! Fermi!» gridano le dù guardie lanciandosi all'inseguimento.

E di subito Ciccio capisce che per lui la partita è persa, non ce la farà mai a scappare. Allura ha un'alzata d'ingegno. Appena intuisce che i dù hanno già allun-

68

gato le vrazza per agguantarlo, si blocca di colpo, si gira e ammolla con tutta la forza della dispirazioni un gran colpo di lume al primo che gli capita. Quello, pigliato in piena faccia, grida di duluri, sciddrica e cade, la secunna guardia ha un momento d'incertezza, non capisce che cosa è capitato al sò collega, ma l'accapisce con bastevole chiarezza quanno macari a lui arriva la botta in testa del lume. Il cui vitro stavolta, a malgrado sia protetto da una specie di rete fatta di filo di ferro, si rompe e gli taglia la faccia. Cadi 'n terra lamentiandosi. E accussì Ciccio può scomparire darrè l'angolo.

La prima guardia colpita, che di nome fa Diliberto Costantino, arrinesci a isarisi addritta. È ancora stunato. Mentre sta calannosi ad aiutare il compagno sò, che di nome fa Costantino Alessio, una fucilata improvisa lo fa stinnicchiari affacciabbocconi. Qualichiduno gli sta sparanno. Siccome che ha sempre tinuto in mano il revorbaro, risponde automaticamente al foco. Contro di lui vengono esplose altre fucilate. Macari Alessio, che non vede un'amata minchia a causa del sangue che gli cola sull'occhi, si mette a tirari revorbarate all'urbigna.

Il conflitto a foco durò un quarto d'ora prima che i dù carrabinera che avivano sparato per primi s'addunassero che quelli ai quali stavano sparanno erano guardie di pubblica sicurezza. E viceversa.

Chiarito l'equivoco, guardie e carrabinera, alla luce del lume che questi ultimi si erano portato appresso, ispezionarono accuratamente via Arco Arena. Trovarono una lampa di carritteri col vetro rotto, un pugno di ferro, un vastuni da pecoraro, un cappello floscio e una gran macchia di sangue.

Altri fatti di quella sera

L'apparizione di Michele Lopardo, la faccia insanguliata, la gamba zuppichiante, la giacchetta strazzata, i capelli all'ariolè, l'occhi sbarracati, il revorbaro in mano, sul corso Vittorio Emanuele illuminato a jorno datosi che è duminica, pare quella dell'angilo che dicenno «ammè», fa ristari tutti accussì com'è.

Nell'immobilità ginirale, solo la signora Melina Lorusso in Tricase fa una vociata acutissima e cadi sbinuta 'n terra a malgrado che s'attrova sutta vrazzo al marito. Nisciuno la soccorre, manco il liggittimo sò, il signor Tricase Arturo, commerciante di fave, rimasto 'ngiarmato con gli altri a taliare a Michele Lopardo che camina senza manco capiri di stare caminando.

Un attimo doppo s'arripigliano e scappano tutti, un fui fui affannato e vociante uguale a quello del '12, quanno ci fu il tirrimoto. Il signor Tricase Arturo macari lui d'istinto si è messo a curriri, doppo si è arricordato della mogliere, santianno è tornato narrè, si è calato, si è carricato sulle spalle la signora Melina che stazza un quintali abbunnanti ed è scomparso in direzione nord-nord est. L'unici che restano al posto loro sono dù carrabinera di guardia nelle vicinanze e il solito gruppo di ferrovieri davanti al Circolo.

Sia i carrabinera che i ferrovieri hanno sintuto la sparatina che viniva da via Arco Arena, ma ancora non sanno chiffari. La comparsa di Michele scioglie il dubbio.

Il più lesto a curriri verso il capomastro è Gegè Lo Monaco. Non spia nenti al compagno, gli leva il revorbaro dalla mano, e deve fare una certa faticata pirchì quello lo teni stritto stritto, getta l'arma 'n terra darrè una grasta di sciuri, ammutta a Michele, che pare intronato, verso gli altri ferrovieri, che intanto si sono mossi avanti per proteggerlo, lo fa scompariri in mezzo al gruppo che s'è rapruto e richiuso come una vongola per riceverlo.

I dù carrabinera, che di nome fanno rispettivamente Antonio Praticò e Carmine Pullara, non sono però babbiuna, sono pirsone sperte, il loro mistiere lo sanno praticare bono. Mentre Pullara corre a ricuperare il revorbaro di Michele indovi che l'ha gettato Lo Monaco, Praticò, che è àvuto e grosso quanto un armuàr, si lancia con tutto il sò piso contro il gruppo dei ferrovieri per agguantare a Michele.

La violenta irruzione del carrabineri fa per un momento allascare la compattezza dei ferrovieri tanto che Praticò arrinesce ad affirrare per un vrazzo il capomastro che pare sempre un pupo, senza volontà propia, la taliata persa. Gegè Lo Monaco pero è lesto a pigliare l'altro vrazzo di Michele e accomenza una specie di tira e molla col carrabineri. La vince Lo Monaco e il gruppo dei ferrovieri arretra di qualichi passo.

«Vinite dintra! Vinite dintra!» grida sulla porta chiusa a metà del Circolo Fofò Urbano, il segretario del Circolo stisso.

Difatti, raggiungere la sede del Circolo e barricarivisi dintra sarebbe, per i ferrovieri, la migliore. Ed è quello che tentano di fare.

Ma il carrabinere Pullara, che ha capito la 'ntinzioni, taglia loro la strata, s'apprecipita verso Urbano, gli dà un potenti ammuttuni che lo scaraventa dintra al Circolo, inserra la porta e vi si mette davanti, tenendo sempre nella mano il revorbaro di Michele.

A testa vascia, il carrabinere Praticò si getta intanto di bel nuovo nuovamente contro il gruppo, dù ferrovieri cadino 'n terra come birilli, ma un ferroviere l'agguanta per la giacchetta della divisa e lo tira narrè, un altro gli ammolla un càvucio nei cabasisi: piegato per il duluri, Praticò non si ferma e riafferra a Michele.

A questo punto tutti i ferrovieri sàtano supra a Praticò che sta per essiri sommerso quanno Pullara s'addecide a isare il vrazzo e a sparare un colpo in aria. Subito appresso, corre in aiuto al collega. Mentre Pullara teni a bada i ferrovieri con l'arma puntata, Praticò ammanetta a Michele. Di cursa, arrivano dù òmini in borgisi.

«C'è bisogno d'aiuto? Siamo guardie di Pubblica sicurezza».

«No» fa Pullara. «Andate a vedere che è capitato in via Arco Arena».

Finalmente Pullara e Praticò possono principiare a portare in caserma a Michele che non fa resistenza, non dice una parola, la taliata da persa ora gli si è fatta spiritata.

75

A pochi metri dal Circolo, Pullara e Praticò, con l'arrestato in mezzo, s'incontrano con una pattuglia di dù carrabinera, che era alla fine di corso Vittorio Emanuele, e che ora quatelosamente s'avvicina per capiri quello che sta succedendo.

«Andate a vedere che è capitato in via Arco Arena» dice macari a loro Pullara.

Si sono fatta una curruta da lepre assicutata da un cane cirneco, mentre invece nisciuno li sta assicutanno.

Nino Impallomèni è caduto dù volte 'ncispicanno sulle petre, a Titazio un ramo vascio d'àrbolo d'aulivo gli ha fatto uno sgarro sulla guancia mancina.

La prima cosa che fanno appena arrivati al lavatoio è quella di vagnarisi a longo la faccia. Faticano a ripigliare tanticchia di sciato, hanno i purmuna come mantici.

«Perché Lillino non è venuto dietro a noi?» spia Titazio.

«Boh» fa Nino che senti un'ondata di fitte al fianco per la gran curruta.

«Che strada avrà fatto?» spia ancora Titazio.

«Secondo mia è trasuto dintra all'arco. Da lì si arriva indovi che si vuole» risponde Nino.

«Oppure è andato dalla parte opposta alla nostra» dice Titazio che non pare pirsuaso.

Nino perde la pacienza.

«Domani a matino, quanno ci vediamo, glielo spiamo direttamente a lui che minchia ha fatto».

E si stinnicchia longo 'n terra a panza all'aria. Titazio resta tanticchia in silenzio, doppo riattacca:

«Perché gli hai sparato? Lillino aveva detto che...».

«Se non gli sparavo, quello a Lillino l'ammazzava. Ho visto che l'aviva pigliato per il collo».

Titazio ci pensa supra.

«Forse dovremmo andare a dire al comandante quello che è successo».

Federico Talè di Santo Stefano ama farisi chiamari accussì, comandante, dai sò òmini della «Lega antibolscevica».

«Domani glielo dicemu» fa Nino.

Titazio ha gana di parlari, Nino invece sta sprufonnanno in una cupa mutangherìa.

«Perché non andiamo a...».

«Perché non vai a pigliartela in culo?» l'interrompe, arraggiato, Nino.

Dati i tempi chiuttosto agitati che currino, il commissario di Pubblica sicurezza, Mancuso detto Gerolamo, ha dato disposizione da tri misi che una guardia stazioni in permanenza al pronto soccorso dello spitale.

Quella sira è il turno della guardia scelta Brancato Vitaliano.

Totò Cumella e don Lollò stanno dintra a una cammareddra, addritta davanti alla scrivania darrè alla quali sta assittata la guardia scelta che piglia appunti con un lapis copiativo dato che nel calamaro non c'è una guccia d'inchiostro.

Il ferito è stato ricoverato d'urgenza. Le sue condizioni sono gravissime, ha detto un medico.

«Siete voi che avete portato qua il ferito?».

«Sì».

«Vi chiamate?».

«Cumella Salvatore fu Filippo e di Abbate Carmela. Ho trentadù anni e abito in via Schillaci 28. Faccio 'u muratori».

La guardia scelta isa la testa, lo talia.

«Siete pratico, a quanto pare».

Totò non arrispunni. È stato fermato già quattro volte.

«Come vi siete imbattuto nel ferito?».

«Che ci devo diri? Ero andato a viviri un bicchieri di vinu alla taverna di Santa Pitronilla. Alla nisciuta, ho pigliato via Arco Arena. E ho visto a quel picciotto ittato 'n terra».

«Eravate solo?».

«Solissimu».

La guardia scelta talia a don Lollò come per aviri conferma.

«Iu solo a lui vitti» dice don Lollò.

«Avete riconosciuto il ferito? È amico vostro?».

«Mai viduto prima» dichiara con sicurezza Totò.

«Perché siete intervenuto?».

«Dovivo lassarlo muriri comu un cani?».

«Allora che avete fatto?».

«Ho chiamato a don Lollò e lui è scinnuto. L'abbiamo messo dintra a una delle carrozze di don Lollò e l'abbiamo portato qua. E questo è quanto».

«E voi come vi chiamate?».

«Sciacchitano Calogero. Orfano e vidovo. Aju sissantaquattru anni. Abito in via Arco Arena 12 e campo affittanno carrozze».

«Macari voi siete pratico, eh?» commenta la guardia scelta.

Certo che è pratico, don Lollò. In gioventù, furto, furto con scasso, furto a mano armata, abigeato. Da omo crisciuto, rissa e tentato omicidio.

Alla guardia scelta veni una curiosità:

«Ma voi che abitate proprio lì, com'è che non avete sentito sparare?».

«Durmivo e ho 'u sonno pisanti. E po' chi lo dici che il picciotto è stato sparato vicino a la mè casa?».

«Come chi lo dice? Questo signore che l'ha trovato lo dice!».

«Nossignore, questo signore non lo dice! Questo signore l'ha solo attrovato e mi ha messo in mezzo!».

«Secondo voi com'è andata la cosa?».

«Capace che gli hanno sparato se la fotte lui indovi, si è messo a caminare e doppo è vinuto a cadiri nella mè strata».

«E sempre secondo voi, uno con quella ferita in testa è in condizioni di camminare?».

«E chinni sacciu? Nun sugnu medicu, iu».

«Firmate, se ce la fate, e andatevene» conclude la guardia scelta, tiranno un suspiro profunno.

Sa benissimo che da quei dù non c'è nenti da spremiri.

Carte e parole

Il Responsabile reparto
Dott. Romano Luca

OSPEDALE SACRO CUORE

Scheda n. 327

Generalità

Cognome e nome   *Grattuso Calogero*
Luogo di nascita   *quivi*
Data   *7 marzo 1903*
professione   *studente*

Ora e data del ricovero *ore 22 e 15 del 24 aprile 1921*

REFERTO

*Al paziente viene riscontrata una vasta ferita d'arma da
fuoco alla testa, esplosa da distanza ravvicinata, con solo
foro d'entrata alla regione fronto-parietale sinistra.*
   Notevole devastazione della massa cerebrale.
   Stato di coma.
   Pulsazioni appena percepibili.
   Grave perdita di sangue.

ANNOTAZIONI

*Allo scopo d'eliminare la ritenzione del proiettile, il pri-
mario chirurgo Prof. Dott. Daniele Cipolla ha deciso di*

sottoporre il paziente a un intervento di trapanazione del cranio.

Il Responsabile reparto
(Dott. Fortunato Lorè)

STAZIONE dei REALI CARABINIERI

Numero protocollo 722   Data 24 aprile 1921

Di poco passate le ore ventuno e trenta del ventiquattro di aprile c.a. noi sottoscritti Carabinieri Colosimo Leonardo e Ognibene Gerolamo, comandati in servizio all'incrocio tra corso Vittorio Emanuele e via Regina Margherita, avevamo notizia di un trambusto con sparatoria che stavasi capitando verso il centro del predetto corso.

Un fuggitivo c'informava che nel predetto trambusto con sparatoria trovavasi ammischiata una nostra pattuglia.

Pertanto ci recavamo nel predetto posto, ma ancora prima d'arrivarci incontravamo due nostri commilitoni che seco loro arrecavano in manette il colpevole del trambusto con sparatoria.

Uno dei due commilitoni ci diceva di andare a vedere quello che era capitato in via Arco Arena indovi eransi verificati i primi spari.

Qui arrivati eravamo costretti ad accendere il lume, datosi che i lampioni della via erano all'oscuro di tutto.

Intanto scorgevamo a distanza, sempre nella predetta via, un gruppo d'uomini che procedeva in modo guardigno.

Intimato l'alto, essi immantinente invece d'obbedire al

nostro ordine esplodevano alcuni colpi d'arma da fuoco contro di noi, ai quali prontamente rispondevamo.

Poscia davansi alla fuga.

Opiniamo che trattasi di complici del suddetto arrestato che è stato causa del trambusto con sparatoria.

Si alliga l'elenco degli oggetti rinvenuti in via Arco Arena:

1) Un bastone da pecoraio

2) Un cappello floscio colore grigio scuro

     Colosimo Leonardo   Ognibene Gerolamo

Commissariato di Pubblica Sicurezza

Data   *24 aprile 1921*
Protocollo n. *525*

Di poco passate le ore ventuno e trenta del ventiquattro di aprile c.a. noi sottoscritti Guardie di P.S. Costantino Alessio e Diliberto Costantino, essendo che eravamo fuori servizio e passeggianti in corso Vittorio Emanuele venivamo attirati da un trambusto con sparatoria che svolgevasi davanti alla sede del Circolo ferrovieri.

Ritenendo, ancorché fuori servizio, nostro preciso dovere intervenire, siamo intervenuti, ma siamo arrivati in loco che già due militari dell'Arma avevano arrestato il losco figuro che aveva provocato il trambusto con sparatoria.

Essi ci consigliavano di raggiungere la vicina via Arco Arena dove il trambusto con sparatoria aveva avuto inizio.

Pur essendo la via all'oscuro di tutto, notavamo a distanza un gruppo di persone che muovevasi sospettosamente alla luce di un lume.

Intimato l'alto, essi immantinente davansi alla fuga da noi inseguiti, ma datosi lo scuro i sottoscritti erano sottoposti a caduta riportando ferite alla faccia e alla testa. Vedendoci in difficoltà, il gruppo esplodeva verso di noi al-

cuni colpi d'arma da fuoco, ai quali rispondevamo ingaggiando un breve conflitto perché i malavitosi desistevano presto e ripigliavano la fuga.

Opiniamo che trattasi di complici dell'arrestato che è stato causa del trambusto con sparatoria.

Si alliga l'elenco degli oggetti trovati in via Arco Arena:
1) Un *lume da carrettiere col vetro rotto*
2) Un *pugno di ferro*

Costantino Alessio   Diliberto Costantino

Al Camerata
Addolorato Mancuso
Salita Calvario 28   RISERVATA PERSONALE

Camerata Mancuso!

Sono il camerata Filippazzo Salvino, medico in servizio al Pronto soccorso dell'Ospedale Sacro Cuore e mi scuso di disturbarti a sera inoltrata inviandoti questo biglietto a mezzo di un infermiere camerata fidato.

È stato verso le dieci di stasera ricoverato presso questo Ospedale il giovane Lillino Grattuso, che tutti noi ben conosciamo per il suo impegno e la sua lotta nella battaglia antibolscevica, per la sempre pronta e generosa dedizione alla Causa, ferito alla testa da un colpo d'arma da fuoco.

Egli versa in gravissime condizioni, si esclude possa sopravvivere.

Pare sia caduto vittima di un agguato ordito dal noto bolscevico Michele Lopardo, che è stato arrestato, e da alcuni suoi complici.

Credo sia opportuno informare dell'accaduto il camerata Talè di Santo Stefano.

Ti saluto romanamente

Salvino Filippazzo

Allo spitale

Tiranno fora dalla sacchetta il ralogio il pretore Terenzio Sottocasa s'adduna che è da deci minuti che aspetta nell'anticàmmara dello spitali che qualichiduno s'addecida a nesciri dalla sala operatoria e si degni di fargli acconoscere la situazione. Da deci minuti che aspetta e sta addritta, pirchì nei dintorni non si vede una seggia a pagarla a piso d'oro.

Finalmente la porta si rapre, compare uno col càmmisi bianco strisciato di sangue. Camina lesto e il pretore gli va appresso.

«Mi perdoni, sono il pretore».

«Dopo, dopo» fa quello continuanno a caminare di prescia.

Sottocasa non si arrenne.

«L'operazione è finita?».

«Quasi» dice l'altro infilandosi dintra a una porta.

Che viene a dire quasi? Il pretore ha gana di fumare, sa che in fondo al corridoio, doppo l'angolo, c'è un salottino.

Appena svolta, si trova davanti a una scena che non si aspittava. Indovi finisce il corridoio, allato a una finestra, ci stanno una decina di pirsone che parlano animatamente. Arriconosce il baronello Federico Talè di Santo Stefano coi cazùna del pigiama che si vidino sutta al cappotto, giarno giarno, che cimìa come un àrbolo al vento, arriconosce Addolorato Mancuso circondato da quattro fascisti tutti in cammisa nìvura e col manganello, arriconosce Arcangelo Lopane e altri tri nazionalisti. Davanti alla porta del salottino, dal quale provengono voci alterate, ci sono quattro pirsone che taliano dintra. Il pretore si fa largo, arriva in prima fila. E quello che vede gli pari propio tiatro.

A mano manca c'è un gruppo di fìmmine, tutte vestite alla sanfasò, alla comevieneviene, chi ha la pelliccia supra la cammisa di notti, chi invece delle scarpine porta gli scendiletto. Davanti al gruppo c'è la signora Agata Tamburrano in Grattuso. A mano dritta invece c'è un gruppo formato da tri òmini tutti vistuti di nìvuro. Davanti a loro ci sta il cavaliere Pancrazio Grattuso, direttore dell'Ufficio postale.

Come se aspittava l'arrivo del pretore, la signora Agata principia la rappresentazione. Isa il vrazzo, punta l'indice contro il marito e dice:

«Tu!».

«Tu!» ripiglia a eco il coro fimminino composto dalla parentela della signora Agata la quale ha vincoli di sangue con tutta la nobiltà e la benestanza del paìsi.

«Io?» fa ammaravigliato il cavaliere Pancrazio.

«Lui?» si spia il coro dei mascoli, fatto tutto da impiegatuzzi sucainchiostro che mai e po' mai potranno competere coi quarti di nobiltà fimminina che stanno dalla parte avversa.

«Sì, tu! Che con le idee che ci mittisti in testa al poviro figliuzzo mio l'hai fatto quasi ammazzari!».

«Ammazzari! Ammazzari!» si lamenta il coro delle fìmmine.

Il pretore Sottocasa si tira narrè, rinunzia a fumare, tanto la gana gli è passata, torna nell'anticàmmara e di subito vidi nesciri dalla sala operatoria il professore Cipolla che ha il càmmisi tanto lordo di sangue che pare un vucceri.

Daniele Cipolla è accanosciuto come chirurgo cillente, ma macari come pirsona di rara (e vastasa) parola e di carattere nirbùso.

«Mi scusi, professore, sono il pretore».

«Che vuole?».

«Come andò l'operazione?».

«Male. Non ce l'ho fatta a tirare fora il proiettile».

«Vorrei interrogarlo».

«Al proiettile?».

«No. Al ferito».

«Ma lei che ci ha al posto del ciriveddro, ricotta?» scatascia il professore che, vascio e tracagno com'è, ballonzola sulle punte dei pedi. «Come minchia fa a pensare che uno in quello stato possa rispondere alle sò domande?».

Evidentemente il fallimento dell'operazione ha fatto satare i nerbi al chirurgo.

«Ah, no?» spia il pretore ancora intronato dalla vociata.

«No! E questo lo capisce macari un neonato! O vuole che faccia una trapanazione macari a lei, accussì da quel pirtuso le cose in testa ci trasino meglio?».

Prof. Dott. Emerico Ziotta

Medico - Chirurgo

Gabinetto medico: via Troìa, 22
Abitazione: via Roma, 3

*Lopardo Michele presenta una vasta lacerazione alla zo-
na occipitale sinistra. Si è resa necessaria la suturazione della ferita con sei punti. Difficoltà di respirazione e acuto dolore al torace per la frattura della seconda costola destra.*

*Vasto ematoma sopra l'osso sacro, altro riscontrabile al-
l'altezza del fegato.*

*Profonda lacerazione alla parte inferiore della nuca.
Contusioni ed ecchimosi sparse in tutto il corpo.*

*Dato l'evidente stato confusionale del paziente, attual-
mente in arresto presso la Stazione dei* RR. CC., *se ne con-
siglia l'immediato ricovero in ospedale.*

(Emerico Ziotta)

Post scriptum. Il maresciallo dei RR. CC. *mi fa notare
che il trasporto del Lopardo presso lo stesso ospedale cittadino dove trovasi ricoverata in condizioni disperate la vittima, potrebbe ulteriormente esasperare gli animi e far
commettere a qualche esaltato un gesto sconsiderato.*

94

Propongo allora il ricovero presso l'ospedale Sant'An-
na di Xirbi, ma il maresciallo mi fa notare che la cosa è
impossibile in quanto sarebbe indispensabile far accom-
pagnare il Lopardo da un drappello di militari dell'Arma
a salvaguardia della sua incolumità ed egli non può, al mo-
mento attuale, distogliere dal servizio anche un solo ca-
rabiniere. Mi trovo perciò costretto a declinare ogni re-
sponsabilità.

(Emerico Ziotta)

Comando provinciale dei Reali Carabinieri

Fonogramma n. *872*
Ore *23 e 15*
del *24 aprile 1921*
Destinatario: *Maresciallo dei* RR. CC. *Tinebra Gaspare*

D'intesa con S. E. il Prefetto Grande Ufficiale Aurelio dottor Caccamo e d'intesa con il signor Questore Munafò Commendatore Dottor Attilio, questo Comando Provinciale ha disposto che le indagini circa il grave fatto di sangue avvenuto questa sera in via Arco Arena siano condotte in piena e armoniosa collaborazione con il dottor Emanuele Lanzillotta, capo della Squadra politica della Questura.
Me ne dia immediata assicurazione.

per IL COMANDANTE PROVINCIALE
(Maggiore Ascanio Testa)

STAZIONE dei REALI CARABINIERI

Fonogramma n. *423*
Ore *23 e 20*
del *24 aprile 1921*
Destinatario: *Maggiore Ascanio Testa Comando Provinciale* RR. CC.

In risposta al vostro fonogramma n. 872 testé pervenuto assicuro mia piena e armoniosa collaborazione.

Il Comandante la Stazione dei RR. CC.
(Maresciallo Tinebra Gaspare)

REGIA QUESTURA

SQUADRA POLITICA

IL COMMISSARIO CAPO

(a mano)

Come da ordini impartitimi, questa sera alle ore 23 e 30 mi sono recato presso la locale Stazione dei RR. CC., *dove è stato tradotto Lopardo Michele, reo del grave fatto di sangue accaduto in via Arco Arena, per procedere al di lui primo interrogatorio congiuntamente con il Comandante della Stazione, Maresciallo Tinebra Gaspare.*

Grande è stata la mia maraviglia quando il predetto Maresciallo mi comunicava di non ritenere opportuno il procedere all'interrogatorio, stante che il reo trovavasi in stato confusionale.

Malgrado le mie insistenze, il Maresciallo non recedeva dal suo proponimento, motivo per cui sono stato costretto ad abbandonare la Stazione in preda a comprensibile sdegno.

Forse che il signor Maresciallo Tinebra vuole lasciare al-

l'assassino tutto il tempo necessario per organizzare una linea di difesa?

E adopero la parola assassino a ragion veduta: mi è stato detto personalmente dal Primario dell'ospedale che non c'è più speranza per quel giovane barbaramente martirizzato, colpevole solo di una profonda Fede nei suoi Altissimi e Fulgidi Ideali.

Con osservanza

Emanuele Lanzillotta
(Capo della Squadra politica)

STAZIONE dei REALI CARABINIERI

Al Signor Maggiore
Ascanio Testa
Comando Provinciale dei RR. CC.   URGENTE

Addì 25 aprile 1921, ore 5 del mattino

Faccio presente alla S.V. Ill.ma il precipitoso aggravarsi in Città della situazione dell'ordine pubblico non appena sparsasi la notizia dei fatti accaduti in via Arco Arena.

Verso le ore una sono state lanciate due bombe a mano contro la porta del Circolo ferrovieri in via Vittorio Emanuele. Indi un gruppo di facinorosi, al grido di «Vendichiamo Lillino!», ha tentato di penetrare nei locali, ma è stato respinto con colpi d'arma da fuoco da persone che erano asserragliate dentro.

Una sparatoria misteriosa (probabilmente uno scontro tra fascisti e socialisti) che fortunatamente non ha avuto conseguenze, si è verificata alla stessa ora in via Garibaldi.

Alle ore due una bomba a mano è stata lanciata contro un balcone dei locali dove ha sede la «Lega antibolscevica» alla quale appartiene il giovane gravemente ferito.

Circa una mezzora dopo un incendio chiaramente doloso si sviluppava nella sede del Circolo minatori sito al piano terra di una villetta in via Cavour 12. Per il pronto accorrere di alcuni vicini, l'incendio veniva rapidamente domato.

Un càntaro (grosso vaso da notte), ricolmo di escrementi umani, è stato lanciato contro il signor Addolorato Mancuso, capo dei fascisti locali, che alle tre di stanotte stava facendo ritorno alla propria abitazione sita in Salita del Calvario 28. Il càntaro ha colpito alla spalla il Mancuso rovesciandosi e inzaccherandolo. I tre suoi camerati che lo scortavano, non essendo riusciti a capire da dove fosse stato lanciato l'oggetto, si sono messi a sparare contro finestre e balconi al grido: «Morte ai bolscevichi!».

Alla stessa ora l'abitazione di Michele Lopardo veniva fatta segno di una fitta sassaiola che rompeva tutti i vetri delle finestre. Si sono sentite grida di «A morte Lopardo!».

Poco mancando alle quattro ben otto bombe a mano sono state lanciate contro la sede del Partito comunista, distruggendola quasi completamente.

Da circa due ore, nella piazzetta antistante questa Stazione dei RR. CC., si sono riunite alcune persone (una ventina) che confabulano animatamente. Ho il fondato so-

101

spetto che trattasi di amici del ferito animati da cattive intenzioni verso il Lopardo da noi trattenuto. Non penso vogliano assaltare la Stazione, ma credo che sperano d'impadronirsi del Lopardo ove questi, per un motivo qualsiasi, venga costretto a uscire fuori.

Tanto per conoscenza

Il Comandante la Stazione dei RR. CC.
(Maresciallo Tinebra Gaspare)

Riunione al vertice

Sono le sei e mezza del matino del 25 aprile. Il Prefetto, Caccamo Grande Uff. Aurelio, sinni sta assittato a capo del granni tavolo rettangolare del salone della prefettura. È nìvuro, 'nfuscato, nirbùso e l'addimostra turciuniannosi di continuo le punte dei baffi che ora arrisultano orizzontali alla linea della vucca, ora cchiù sutta, alla tartara, ora cchiù supra, all'umberta.

Da tri jorni non ci sta con la testa e tutti, dal vice prefetto all'ultimo usciere, pensano che Sua Eccellenza sia seriamente prioccupato per la gravi situazione che si sta crianno in pàisi, ma non sanno la virità e cioè che il signor Prefetto altamente se ne stracatafotte della gravi situazioni del pàisi, egli è fora dalla grazia di Dio per la gravi situazioni sò, pirsonale.

Vale a dire che tre jorni avanti ha arricevuto una littra nonima, composta di sole otto parole:

«Tò mogliere ti mette le corna col quistori».

Il sò Capo di Gabinetto, Tornatore cav. Alfonso, che ogni matina rapri la posta, la legge e gliela passa commentandola, macari quella volta fici il sò commento alla littra nonima.

«È una manovra politica, Eccellenza».

103

Una manovra politica, le corna?! Il Prefetto, che nel leggiri quelle parole aviva avuto una mazzata 'n testa, lo taliò pigliato dai turchi.

«Eh, sì, Eccellenza. A parer mio questa ignobile lettera proviene da quella marmaglia sovversiva che vuole dividere gli alti rappresentanti della legge e dell'ordine e pescare nel torbido».

Ma quant'era strunzo il sò Capo di Gabinetto! Ma se macari lui, il marito, si era addunato della simpatia che sò mogliere Luisa, veneziana, di vinticinco anni cchiù picciotta, provava, ricambiata, per quella gran testa di minchia del Questore!

Ora la domanda che lo spirciava era chista: la simpatia era ristata simplici simpatia o si era trasformata in concreto fatto di letto, come scriviva l'anonimo? Una cosa era certa come la morti: che da qualichi misi sò mogliere, ora con la scusa del malo di testa ora con la scusa di qualichi altro firticchio, si sottraeva al doviri coniugali, mentre prima non solo acconsentiva di slancio, ma spisso e vulanteri era lei a pigliari l'iniziativa.

E questo viniva a significari che la signora, quanno aviva gana di vivìri, si faciva dissetare a tinchitè fora di casa, una vivuta tale che la lassava sazia.

«Vogliamo cominciare, Eccellenza?».

Isò l'occhi. A parlari era stato proprio la gran testa di minchia, il Questore Munafò comm. dott. Attilio, che gli stava assittato a mano manca. Àvuto, bello, picciotto rispetto all'incarico che aviva, eleganti, una gran massa di capilli ricci ricci, l'occhio sparluccicanti, assimigliava cchiù a un poeta che a uno sbirro e capo di sbirri.

A mano dritta del Prefetto ci stava invece il Comandante provinciale dei RR. CC., Brindisino colonnello Augusto, busto dritto di ligno, taliata sempre arraggiata, che aviva allato il Capo di Gabinetto Tornatore il quale doviva verbalizzare la seduta.

D'in faccia a Tornatore ci stava invece il Capo di Gabinetto del Questore, Manzella cav. Aristide.

«Beh, sì, cominciamo» fece Sua Eccellenza.

E non proseguì, pariva che stava pinsanno a qualichi cosa che non arrinisciva a ricordare. Doppo tanticchia, il Colonnello Brindisino gli dette una mano d'aiuto.

«Vuole che cominci io?».

«Sì, grazie, signor Colonnello».

Brindisino si susì, maestoso e sullenne nel suo metro c ottanta d'altizza, fulminò i presenti con un'occhiata feroce e principiò a parlari.

Per chi l'accanosceva la prima volta, sintirlo parlari era come una scossa elettrica, ristava furminato. Pirchì dalla vucca di quel gigante, da sutta a dù baffi simiglianti a dù scope, nisciva una vuciuzza sottili, dilicata e gentili, in tutto uguali a quella di una pudibonda fanciulla allevata in un collegio di monache.

«Signori» esordì «stante la situazione, e acclarato che essa non può che volgere al peggio, non mi sono peritato di rivolgermi al mio illustre collega di Montelusa, Colonnello Amerigo Toussaint, per chiedergli man forte. Il mio collega ha subito generosamente disposto l'immediato trasferimento di una sua compagnia che arriverà in loco non più tardi delle ore otto di questa mattina».

«Una bellissima pensata, Colonnello» fece il Prefetto.

Brindisino gli arrivolse una taliata che voliva essiri di ringrazio ma che arrisultò invece quella di un boia, e proseguì:

«Gradirei conoscere dal signor Questore la specifica dei luoghi che dovrebbero essere presidiati, onde acconciamente disporre i miei uomini e quelli in arrivo».

S'assittò. Munafò invece si susì.

«Mi porga l'elenco» disse al sò Capo di Gabinetto.

Il cavaliere Manzella gli pruì tri fogli di carta. Il Questore li pigliò con la mano mancina, si passò le dita della mano dritta supra i capilli, si misi in posa che pariva doviva leggiri un poema.

«Ho fatto preparare una lista dei posti che ritengo indispensabile siano sottoposti a presidio. La stazione ferroviaria. Il Circolo ferrovieri. La camera del lavoro. La sede del partito socialista. La sede del partito democratico del lavoro. La sede del partito repubblicano. La sede del partito liberale. La sede del partito popolare. La sede del partito comunista. La sede dell'associazione anarchica. La sede dell'unione minatori. Le sedi dei sindacati. Il palazzo comunale. Le carceri. Il circolo dei nobili. Il circolo "Lavoro e Progresso". Il circolo "Fede & Progresso". Il circolo "Progresso"».

Il Colonnello Brindisino lo taliò ferocemente ammammaloccuto.

«Tanto vale proclamare lo stato d'assedio!» pinsò.

L'altro proseguì la litania.

«Le sedi della "Lega antibolscevica", del partito fascista e dei nazionalisti d'Italia, fortunatamente allocate nello stesso palazzo. L'ospedale civico. L'ufficio postale. La banca di Credito e Scambio. La banca Agricola. La chiesa di San Giacomo, il cui parroco è notoriamente filofascista. La chiesa di San Francesco, il cui parroco è notoriamente filosocialista. L'abitazione del sindaco. L'abitazione del Lopardo. L'abitazione del Grattuso. L'abitazione del...».

«Giacché ci sei, pirchì non fai presidiare macari lo sticchio di tò soro?» pensò il Prefetto che non reggeva cchiù alla voce del Questore, quella voce che chisà che aviva murmuriato alle orecchie di sò mogliere, chisà cosa l'aviva pirsuaduta a fari, nuda supra un letto...

«E qui termina il primo elenco provvisorio» disse a un certo punto il Questore, quanno tutti oramà avivano perso le spiranze che la lista aviva una fine.

Stavano principianno a tirare un respiro liberatorio, ma si fermarono a mezzo pirchì il Questore era ristato addritta.

«Che altro c'è?» spiò rassegnato il Prefetto.

«Mi è pesante portare a conoscenza dei presenti un increscioso episodio. Il capo della squadra politica della questura che ho l'onore di dirigere me ne ha fatto doglianza scritta. Egli si è recato, come da accordi con l'Arma dei Reali Carabinieri, presso la Stazione ov'è detenuto il Lopardo Michele per procedere al di lui interrogatorio. Ma il maresciallo comandante la Stazione si è opposto con risibili motivi. Come si vuole procedere per risolvere la non piacevole quistione?».

Il Prefetto non arrispunnì, non toccava a lui. Una vuciuzza lievemente cantante che pariva quella di una fatina si levò dalle parti del Colonnello Brindisino:

«Provvederò, provvederemo…».

Stettiro ancora a parlari una decina di minuti, appresso Sua Eccellenza taliò torno torno il tavolo: nisciuno aviva cchiù nenti da diri.

«Bene. La seduta…».

Tuppiarono forti alla porta.

«Avanti!» fece il Prefetto.

Trasì un usciere, gli pruì un foglio, niscì. Sua Eccellenza lo liggì, addivintò ancora cchiù nìvuro in faccia.

«Signori, vi comunico che Calogero Grattuso è deceduto alle ore sette».

✝

È STATO VILMENTE ASSASSINATO DA MANO BOLSCEVICA

CALOGERO GRATTUSO
(LILLINO)
di anni 18

La Cittadinanza potrà rendere omaggio alla salma del

MARTIRE FASCISTA

nella camera Ardente allestita presso il locale Ospedale
e partecipando al funerale
che muoverà dalla Chiesa di San Giacomo
oggi pomeriggio alle ore 16

ONORE AL MARTIRE

LA LEGA ANTIBOLSCEVICA

LUTTO CITTADINO

OGGI 25 APRILE È STATO PROCLAMATO IL

LUTTO CITTADINO

PERTANTO:

GLI UFFICI, I NEGOZI E I RITROVI PUBBLICI RIMARRANNO CHIUSI L'INTERA GIORNATA

LE BANDIERE SARANNO TUTTE ESPOSTE A MEZZ'ASTA

LE UDIENZE IN TRIBUNALE SONO SOSPESE

IL PREFETTO

COMANDO PROVINCIALE dei REALI CARABINIERI

Fonogramma n. *940*
Ore *9 e 24*
del *25 aprile 1921*
Destinatario: *Maresciallo dei* RR. CC. *Tinebra Gaspare*

Considerata l'estrema delicatezza della situazione venutasi a creare costì, comunicole che in mattinata arriverà nella Stazione da lei comandata il signor Tenente Pellegriti Giancarlo il quale assumerà formalmente le indagini per l'omicidio di Grattuso Calogero.

Il Comando della Stazione resta, naturalmente, a lei affidato. Ella collaborerà alle indagini secondo le richieste del Tenente Pellegriti.

Per IL COMANDANTE PROVINCIALE
(Maggiore Ascanio Testa)

Tensione altissima in città

Dopo una notte di tregenda vissuta dalla nostra città, alle sette del mattino, quando si è appreso il sopravvenuto decesso del giovine Lillino Grattuso, in molti abbiamo temuto l'esplosione di un'ira vendicatrice che altro non avrebbe potuto portare che nuovi lutti. Ma, oh miracolo!, è stato come se il giovine Martire della ferocia comunista abbia voluto allontanare da noi altro sangue: difatti, nel corso della mattinata, pur persistendo una tensione altissima, non c'è stata violenza alcuna. Anche perché i Reali Carabinieri, con l'aiuto di rinforzi provenienti da Montelusa, e le Guardie di pubblica sicurezza, hanno oculatamente presidiato i punti nevralgici della città. Lo scriviamo con orgoglio: una folla immensa si è radunata davanti all'ospedale civico per rendere onore al Martire. Il servizio d'ordine è stato affidato ai camerati di Lillino Grattuso appartenenti alla Lega antibolscevica.

Nella Camera Ardente spicca, sul muro, un gran Fascio littorio. Quattro fascisti, in camicia nera, disposti ai quattro angoli della bara, montano la guardia alla Salma. La gente che vi sfila davanti piange, saluta romanamente, impreca a bassa voce contro l'assassino. Per consentire a quanta più gente è possibile l'accesso alla Camera Ardente, il funerale è stato spostato di un'ora. Alle 17 da qui muoverà il corteo funebre: preceduta dal gonfalone municipale scortato dalle civiche guardie in alta tenuta e seguita dalla banda cittadina, la bara sarà portata a braccia da giovani fascisti e nazionalisti. Seguiranno le associazioni cittadine e l'intera gioventù con stendardi e bandiere. Sono attese molte centinaia di fascisti da tutti i paesi della provincia. Le corone di fiori, che si prevedono numerosissime, saranno portate a mano dagli studenti e dai rappresentanti delle associazioni e de-

112

gli uffici. Le Autorità e le Distinte Signore in rappresentanza delle Madri, parteciperanno confuse tra la folla che si prevede strabocchevole. Il corteo percorrerà il viale Regina Margherita e il corso Principe Umberto per arrivare alla Chiesa di San Giacomo dove si terrà il Rito Funebre. Durante il tragitto è prevista una pioggia di fiori dai balconi. Al termine, la bara verrà portata al centro della piazza Garibaldi, dove il corteo si raccoglierà per ascoltare l'alata parola degli Oratori.

Piglieranno la parola: l'onorevole Colagianni, il prosindaco Gomar e il Barone Talè di Santo Stefano, fondatore della Lega antibolscevica della quale il Martire era fervido sostenitore.

Finite le orazioni, il corteo prenderà la strada per il Camposanto dove la Salma sarà tumulata alla presenza dei soli Familiari.

Crediamo di far cosa gradita ai lettori anticipando che il discorso dell'Onorevole repubblicano Colagianni avrà toni patriottici ed esortanti alla Unione, ora soprattutto che Mussolini e i fascisti hanno aderito all'idea di Giolitti per i cosiddetti «Blocchi nazionali».

(G.S.)

Il fui fui

La piazza Garibaldi, davanti alla chiesa di San Giacomo indovi che è stata celebrata la sullenne missa a morto, è talmente stipata che il servizio d'ordine dei fascisti, per raprire uno stritto passaggio al tabbuto e ai sò portatori fino al centro della piazza, deve fari uso di manganelli, ammuttuna e càvuci 'n culo.

Appena il tabbuto compare dalla porta della chiesa, la banda municipale attacca, non si capisce bene pirchì, la marcia dei bersagliera.

Al ritmo di quella musica, i portatori della vara si mettono quasi a curriri e guadagnano tri quarti di strata senonché, appena la banda cangia musica e si metti a sonare la «Jone», i portatori rallentano, strascicano i pedi e fanno dunduliari la vara che pari quella di Gesù al vinniridì santo.

Finalmente il tabbuto può essiri posato supra a un trespolo, i portatori, in camicia nera, ci si mettono a guardia torno torno.

La piazza Garibaldi, rettangolare, non è capaci di contenere tutta la genti e infatti macari le quattro strate agli angoli della piazza, corso Principe Umberto, corso Vittorio Emanuele, via Unità d'Italia e via Brucculeri sono attuppate di pirsone.

114

Supra il balcone dell'ufficio delle Poste & Telegrafi i tri oratori sono già pronti. Allato a loro c'è macari Addolorato Mancuso, in cammisa nìvura, che dirige la manifestazione.

Mancuso isa un vrazzo e la banda, che aviva attaccato «Tu che a Dio spiegasti l'ali», si ferma di colpo.

«Cittadini! Camerati!» dice Addolorato con voci potenti.

Nella piazza cala subitaneo silenzio.

«Ora parlerà l'onorevole Colagianni!».

Colagianni è curtuliddru, la ringhiera di ferro del balcone gli arriva all'altizza del cravattuni alla lavalliè. La testa, in tutto simile a una tonda palla baffuta, è sormontata da una massa enormi di capilli leonini, a criniera.

L'onorevole rapre la vucca e, fottuto dalla sò stissa retorica, parte subito col pedi sbagliato.

«Oh che felice e splendida occasione è quella d'oggi!».

La genti si talia strammata. Che veni a diri felici occasione? Un funerale per un morto ammazzato può essiri scascione d'alligrizza?

«Devo dire che me la sono propio goduta!».

La gente accomenza a fari qualichi rumorata di dissenso.

«Che minchia dice st'arteriosclerotico?» si spia Addolorato Mancuso sufficando la tentazioni d'affirrarlo, sollevarlo oltre la ringhiera e catafotterlo di sutta.

Ma l'onorevole, pi fortuna sò, chiarisce l'alato pinsero.

«Da quando questo solenne, maestoso corteo funebre ha lasciato l'ospedale e fino a questo momento non ho sentito levarsi, da voi mesti, da voi dolenti, da voi piangenti, da voi colpiti, da voi feriti, da voi offesi, una sola voce, un solo grido, una sola recriminazione, una sola richiesta di morte violenta contro la mano assassina che ha reciso questo giovane virgulto, che ha estirpato sì brutalmente questo arboscello che, una volta cresciuto, chissà quali frutti avrebbe portato alla nostra terra e all'Italia tutta! Se avessi inteso la voce vostra alta levarsi a gridar "occhio per occhio, dente per dente", avrei pur con rammarico capito. Ma voi non l'avete fatto! Per questo ho gioito! Perché in questo momento avete saputo soffocare in voi, pur costandovi, oh quanto costandovi!, ogni sentimento di vendetta, perché in questo momento di sacro dolore voi state altamente dimostrando quanto sia fallace l'antica credenza che sangue chiami sangue!».

Parla ancora per un quarto d'ora, l'onorevole, e alla fine conclude con un grido:

«Abbracciamoci!».

E sutta all'occhi strammati della folla, si getta al collo di Addolorato Mancuso e lo vasa, saltella fino al vicesinnaco Gomar che, essenno àvuto quasi dù metri, si devi mettiri agginocchiuna per l'abbrazzo e le vasate, e conclude ittandosi con un balzo di supra al baronello Talè di Santo Stefano che è costretto a tenerlo con le mano intrecciate sutta alle natiche per non farlo sciddricare.

«Ora la parola al prosindaco Gomar».

Amedeo Gomar è stato tirato dintra alla giunta comunale pirchì serve come bella facciata, essendo che è uno del partito democratico del lavoro, epperciò non è di colore rosso acceso come gli altri, il sò colore semmai tira al rosa splapito. L'omo giusto per quell'occasioni.

Gomar parla per deci minuti scarsi. Dice che ha fatto bene, benissimo l'onorevole Colagianni a richiamare tutti alla concordia. E aggiunge che supra a questa strata il pàisi deve continuare a caminare, pirchì la concordia giova al commercio e infatti a forza di scioperi, scontri, sparatorie, tutti ci stanno pirdenno travaglio e guadagno: bastisi diri che il tradizionale mercato del vinniridì non si è potuto tiniri per tri volte di fila per motivi di ordine pubblico.

«Ora la parola al barone Talè di Santo Stefano, fondatore e capo della "Lega antibolscevica" della quale, com'è noto a tutti, Lillino Grattuso, il Martire, faceva parte».

Il baronello, in cammisa nìvura e coccarda driccolore, giarno comu un mortu, s'afferra con le mano al bordo della ringhiera accussì forte che le dita gli addiventano bianche.

«Zittdni! Camgggrati! Ho zint to pagggrle che...».

«Non s'accapisce!» fa una voce robusta dalla piazza.

Il baronello si sente strammare. Non lo capiscono? E come mai? Forse deve gridare chiossà.

«Zittdni! Camgggrati! Ho zint to...».

«Arrè!» fa l'istissa voce dalla piazza. «Non s'accapisce una minchia!».

«Vuoi vidiri che è un vigliacco sabotatore comunista?» pensa il baronello e talia interrogativo ad Addolorato Mancuso che gli sta allato.

«Non stringiri i denti quanno parli» gli suggerisce quello.

Il baronello capisce che il nirbùso gli ha giocato lo sgherzo di fargli sirrare i denti tanto che ora, appena li distacca, si sente le mascelle indulurute.

«Cittadini! Camerati! Ho sentito parole che non avrei mai voluto sentire da questo balcone in un momento di lutto e di rabbia. Parole come concordia, fratellanza, unità! Non ci potrà mai essere concordia fino a quando gli assassini comunisti saranno liberi di esistere e d'ammazzare! Non ci potrà mai essere fratellanza con chi è peggio di Caino! La nostra parola d'ordine non può essere che una sola, una, sola e inequivocabile: vendetta! Sì, vendetta!».

La folla, che aviva principiato a battere freneticamente le mano, si ferma però completamente 'ntrunata taliando lo strano fenomeno che sta capitanno al baronello.

L'oratore pari aviri pigliato la scossa, il sò corpo è percorso da un trimolizzo continuo, solleva ora la gamba mancina ora la gamba dritta e le scutulia come fanno i gatti quanno caminano sul vagnato. I capilli gli stanno isati sulla testa dritti come mazzi di sparaci.

«Il sasa sangue veve versato dal nostro caca camerata deve diventare un mama mare di sasa sangue dei nostri nene nemici!».

Sono le ultime parole. Lassata la presa della ringhiera, il baronello allarga le vrazza e cade narrè, rigito come un manico di scupa. Sul balcone si scatena il virivirì.

«Un medico!» grida rivolto alla piazza Addolorato Mancuso.

È un errore. Pirchì c'è chi equivoca, all'oscuro del fatto che il baronello soffre di attacchi epilettici. E difatti uno dalla prima fila, quella che stava propio sutta al balcone, essendo di sò natura inclinato al tragico, non ha il minimo dubbio su quello che sta capitando:

«Gli hanno sparato!».

La parola si mette a curriri, ripetuta da cento e cento vucche, sparato, sparato, sparato, per tutta la piazza, come una miccia a foco rapido, e va a fermarsi, trasformandosi da affermativa in interrogativa, nella testa firrigna del cavaliere Giosuè Carmona, contabile, fascista e omo d'ordine, che se ne sta appuiato al muro della chiesa di San Giacomo.

«Sparato?» si spia incredulo il contabile.

E tirato fora dalla sacchetta il revorbaro che, come ogni omo d'ordine, si portava sempre appresso, scarrica l'intero carricatore in aria.

E allato a lui s'affloscia, come un sacco svacantato, il viddrano ottantino Cosimato Calcedonio, colpito non dalle pallottole del cavaliere, ma da mortale sintòmo per essersi sentito esplodere cinque revorberate nella grecchia mancina senza manco sapiri né comu né pirchì.

Dal balcone delle «Poste & Telegrafi», prima di precipitarsi all'interno come hanno già fatto gli altri, Addolorato Mancuso dà una terribile vociata:

«È un agguato comunista! Tutti al riparo!».

119

È una parola, nisciuno sa indovi sta il riparo. L'unica è scapparsene cchiù lontano possibile dalla piazza. Quelli che s'attrovano a dare le spalli al cavaliere e che hanno sintuto i colpi provenire di darrè, sono i primi ad ammuttare a quelli che hanno davanti, mentre tutti fanno voci alla dispirata:

«Ci ammazzano!».

«I cecchini!».

«Aiuto!».

«I comunisti!».

I portatori in cammisa nìvura abbannunano la guardia al feretro e ammuttano, i portatori di labari e gagliardetti li gettano 'n terra e ammuttano, ammuttano le Autorità, ammuttano le Madri, ammuttano le guardie civiche in alta tenuta, ammuttano gli scolari, ammuttano i maestri, ammuttano gli studenti, ammuttano i professori, ammutta la banda comunale, ammuttano i combattenti, ammuttano i reduci, ammuttano i fascisti, ammuttano i nazionalisti, ammuttano i liberali, ammuttano i popolari, ammuttano i borgisi, ammuttano i civili, ammutta la genti vascia, ammuttano i carritteri, ammuttano i viddrani, ammuttano gli impiegati e ammutta chi t'ammutta un foresteri, tale Pomodoro Giovanni, viene impicciato contro un muro e scrafazzato come l'ortaggio omonimo.

Finalmente due strate, e precisamente via Unità d'Italia e via Brucculeri si stappano, la gente che l'attappava e che non aviva caputo un'amata minchia di quello che stava capitando nella piazza s'addecide macari lei scantata a scappari. Piazza Garibaldi accussì può accomenzare a svacantarsi, ma per farlo ci mette quasi una mezzorata.

Quanno Addolorato Mancuso allonga quatelosamente la testa di darrè una persiana del balcone, nella piazza non c'è cchiù nisciuno, fatto salvo il catafero del viddrano Cosimato Calcedonio (i resti di Pomodoro Giovanni non li può vidiri pirchì stanno proprio sutta al balcone), il tabbuto è stato lassato solo sul sò trespolo, pare galleggiari supra un mare di bandiere, gagliardetti, cappelli e vastoni gettati 'n terra o persi nel fui fui generale.

Gravi incidenti per il funerale

Abbiamo già dato notizia ai nostri lettori del grave incidente scoppiato nel corso dei funerali del giovine Lillino Grattuso causati dall'assurdo gesto di una persona rimasta sconosciuta che ha esploso in aria numerosi colpi di pistola. Nel tragico fuggi-fuggi che ne è seguito, due persone hanno perso la vita, una ventina si trovano ricoverate all'ospedale civico in stato di trauma o per contusioni varie. Dopo che la salma era stata accompagnata al cimitero, i fascisti della locale sezione e quelli di paesi vicini si sono lanciati contro la sede del Circolo ferrovieri, ma trovarono ad aspettarli la forza pubblica. Si diressero allora verso la stazione ferroviaria con intenti distruttori, ma vennero fermati dai Reali Carabinieri e costretti a tornare sui propri passi. Strada facendo i fascisti si accorgevano che, per ordine del capo della squadra politica della Regia Questura, le guardie di p.s. a protezione del Circolo ferrovieri erano state ritirate. Quindi i fascisti potevano fare irruzione nel Circolo distruggendo mobili, suppellettili, registri e impadronendosi di una bandiera rossa e di un ritratto di Lenin che vennero bruciati per istrada. In serata, ai fascisti locali e a quelli dei paesi vicini si sono aggiunti decine di fascisti provenienti da Montelusa che percorrono le vie della città inneggiando a Mussolini e gridando: «Morte ai comunisti!». Molte vetrine sono state infrante. La situazione dell'ordine pubblico appare quindi assai precaria.

122

Avviso alla cittadinanza!!!

**Si porta a conoscenza della cittadinanza
che in piazza Garibaldi, dopo gli incidenti
dell'altr'ieri, sono stati rinvenuti:**

Bastoni	21
Bastoni animati	4
Ombrelli da uomo e da donna	27
Scarpe spaiate	5
Paia di occhiali da vista	9
Cannocchiale	1
Cappelli Flosci	30
Bombette	15
Coppole	41
Proiettili da revolver	12
Cartucce esplose	6
Paia pantaloni uomo	2
Paia mutande donna	3
Calze donna spaiate	4
Dentiere	2
Borsette donna	10
Portafogli	5
Bandiere, stendardi, gagliardetti	82
Manganelli	9
Orologi da taschino	3
Polsini di metallo spaiati	4
Colletti duri	5
Spille per cravatta	9
Braccialetti	4
Reggipetti	2
Scatola condom	1

**I legittimi proprietari possono presentarsi in municipio per ritirare quello che
è loro.**

IL SINDACO

A domanda risponde

Michele Lopardo

Michele Lopardo sinni sta stiso supra il pagliuni. Teni la faccia voltata verso il muro, col vrazzo dritto si cummoglia l'occhi. È completamente vistuto, giacchetta e scarpe. Il maresciallo Tinebra, appena trase nella cella di sicurezza della Stazione, si sente assugliare le nasche da un tanfo di sudore rancito. La cella non ha aperture, manco una feritoia, l'aria la piglia da un pirtuso quatrato che serve da spioncino. Tinebra lassa la porta aperta per fari cangiare l'aria.

«Lopardo? Dormi?».

«Nonsi».

Michele si gira lentamente, squasi che gli manca la forza, a fatica arrinesci a mettiri i pedi 'n terra, ma quanno fa per susirisi ricasca sul paglione. Non mangia da dù jorni, non ha mai toccato quello che i carrabinera gli hanno portato, ha solamente vivuto tanticchia d'acqua. Ha la varba longa, l'occhi arrussicati.

«Resta assittato» gli dice Tinebra.

E po', voltato verso la porta, fa una voce.

«Portatemi una seggia».

Quanno gliela danno, s'assetta macari lui.

«Come ti senti?».

«Megliu. Ma aju duluri di testa e mi fa mali 'u petto».

«La febbre?».

Michele si porta una mano alla fronte.

«Non me la sento. Che ore sunnu?».

«L'otto di sira. Ti vengo a diri che domani a matino alle nove principiano a interrogarti».

«Ccà?».

«Sì, qua. Le autorità hanno deciso che ora comu ora non è prudente tradurti in carciri».

«Pirchì?».

«Ci sunnu ancora troppi fascisti foresteri in pàisi».

«Ah. E chi me lo fa l'interrogatoriu?».

«Il dottor Lanzillotta».

Michele sturci la vucca, murmuria:

«Quello fascista è».

Tinebra continua come se non ha sintuto.

«Ma non è solo. Con lui ci sarà il tenente Pellegriti che è dell'Arma».

«Non mi pare un nome nostrano».

«Ti sbagli, è di Ragusa. E si dice macari che è una brava pirsona. Comunque, fascista o no, ragusano o no, chista è la zita. Perciò io, domani a matino verso le sette, voglio mannari uno a la tò casa».

«A fari che?» spia Michele di subito allarmato.

«Ma non lo vedi come sei arriddotto? Ti devi fare la varba, ti devi lavari, ti devi cangiari. Hai la giacchetta e la cammisa strazzate. E po' hai bisogno di mutanne pulite, di quasette. Sai scriviri?».

«Accussì accussì».

128

«E tò mogliere sapi liggiri?».

«Accussì accussì».

«Se vuoi, ci puoi mandare macari un biglietto. Domani ti fazzo portari carta e matita».

«Grazii».

Si piglia la faccia tra le mano, fa un suono come di singhiozzi tenuti a forza. Il pinsero della mogliere e dei figli l'ha pigliato a tradimento. Dice:

«Iu nun vuliva ammazzarlo».

Il maresciallo non parla, lo voli lassare sfogare. Quanno vidi che Michele s'asciuca l'occhi con la manica della giacchetta s'addecide a raprire vucca.

«Me lo vuoi contare che capitò?».

Lopardo non arrispunni. Non ha mai voluto parlari della facenna.

«È interesse tò dire a mia tutta la storia prima dell'interrogatorio».

«E pirchì?».

«Pirchì parlanno ti chiarisci le idee, ti levi la confusione che ancora ci hai nella testa. E domani a matino puoi contare le cose senza contraddirti, preciso e sicuro. Fa bona impressioni, mi devi cridiri».

Michele lo talia. E quello che gli vede nell'occhi gli dà fiducia. Il maresciallo è sincero.

Allura gli conta tutto, dall'appuntamento con gli òmini della sò squatra per andare alla taverna di Santa Pitronilla fino a quanno, doppo aviri sparato, si è ritrovato, senza manco sapiri come ci è arrivato, in corso Vittorio Emanuele con i carrabinera che l'ammanettavano.

A parlari Lopardo ha faticato assà, a ogni parola una guccia di lagrima. Il davanti della cammisa gli si è vagnato.

«Dunque erano tri, uno dei quali con un vastuni grosso».

«Sissi».

«Hai sintuto fari nomi? Si sono chiamati?».

«Nonsi».

«Tu avivatu un pugno di ferro?».

«Nonsi».

«Ma avivatu 'u revorbaru».

«Sissi».

«Senza porto d'armi».

«Non me l'hanno voluto dari pirchì c'era stata la cunnanna per un cuteddru che...».

«Ho letto le carte» l'interrompe Tinebra. E prosegue:

«Mi hai contato che il primo colpo l'hai sparato in aria mentre ti trovavi stiso in terra. È così?».

«Sissi».

«Hai isato il vrazzo e hai sparato in aria. Ti è venuto facile pirchì intanto i tri ti stavano piglianno a càvuci e perciò s'attrovavano tanticchia discostati da tia. È giusto?».

«Sissi».

«Ma il secunno colpo, quello mortale, non mi quatra. Se ho capito bono, in quel momento Grattuso ti aviva affirrato per il collo e ti stava sufficanno. Tu ti addifennivi solo con la mano mancina in quanto il tò vrazzo destro era immobilizzato lungo il fianco da un altro fascista che si era incollato al tuo corpo. Ora, se il revorbaro lo tenevi nella mano destra, come hai fatto a isare il vrazzo per sparare in aria?».

«Ma io il vrazzo non l'ho isato».

«No? E come hai fatto?».

«Ho girato 'u pusu».

Il maresciallo fece 'nzinga di no con la testa.

«No. Manco ruotando il polso come dici tu si riesce a mettiri la canna in verticale».

Si susi, slaccia la fondina, tira fora il revorbaro, stende il vrazzo destro lungo il fianco, fa ruotare il polso che impugna il revorbaro.

La canna si sposta solo di tanticchia verso l'alto, la vucca dell'arma resta direzionata ad altizza d'omo.

«Come vedi, avresti potuto benissimo colpirlo».

Però Lopardo non parc pirsuaso da quella ricostruzione.

«Ma vossia non mi disse che Grattuso è stato pigliato in testa?».

«Sì».

«Ma con la canna accussì avrei dovuto colpirlo nella panza, massimo massimo al petto».

«Vero è» dice il maresciallo.

Lopardo stende una mano:

«Mi permette?».

Tinebra gli dà il revorbaro, sa benissimo che quello non ha nisciuna gana di scappari o di fari minchiate.

«Stai attento, è carrico» l'avverte.

Michele si mette addritta, inserra l'occhi per arricordarsi meglio come ha fatto. E doppo ripete il gesto.

131

«Ho fatto accussì» dice.

«Fermo!» sclama Tinebra.

E si cala a taliare. Deve scostargli l'orlo della giacchetta, che in parte copre il revorbaro, per vidiri meglio.

Michele ha fatto ruotare il polso come ha detto, ma contemporaneamente ha fatto girare l'arma dintra la mano cangiandone il modo d'impugnarla, tanto è vero che ora a poggiare sul grilletto non c'è il sò dito indice, ma il pollice.

In questa posizione, la canna è perfettamente diretta verso l'alto.

Michele duna l'arma al maresciallo e crolla assittato sul pagliuni. Le gambe non gli arreggono, doversi arricordare di quel momento è stato pisanti assà. S'asciuca il sudore che gli è spuntato sulla fronte con la manica.

«Levati la giacchetta» dice Tinebra.

Michele si sente stunare.

«Eh?».

«Levati la giacchetta».

Michele se la leva senza manco susirisi, la duna al maresciallo. Tinebra la piglia, si ferma a taliare l'orlo che è proprio sutta la sacchetta dritta e che è mezzo scususta.

«Che c'è?» spia Michele.

Ma il maresciallo non gli arrispunni, nesci dalla cella. Torna doppo cinco minuti, senza la giacchetta.

«Sono andato di là pirchì c'è più luce e potevo taliare meglio».

«E che c'era da taliare?».

«C'è che l'orlo, a destra, è rotto».

«Tutta la giacchetta è strazzata».

«Ma quel punto non è strazzato. È abbrusciato».

Michele è strammato.

«Che viene a dire?».

«Viene a dire che l'orlo della tò giacchetta, quanno hai sparato, si è venuto a trovare supra alla vucca dell'arma. E la fiammata l'ha abbrusciato. È una prova importante. Me la tengo io la tò giacchetta».

«E si stanotti sento friddu?».

«Ora ti fazzo portari una coperta».

D – Declini le generalità.

R – Prima di tutto desidero dichiarare, e voglio che sia messo a verbale, che io mi sono presentato di mia spontanea volontà per chiarire come sono andati i fatti di quella sera. Ho ritenuto mio dovere…

D – Va bene, la dichiarazione è stata verbalizzata. Declini le generalità.

R – Sandri Tito Tazio di Augusto e di Melluso Camilla, nato a Cremona il 6 luglio 1901 e ivi residente in via Lattes 54.

D – Perché si trova qua?

R – Nel mese di novembre dell'anno scorso sono venuto a trovare la mia nonna materna che è di qui, abita in via Cicerone 26 e siccome mi ci sono trovato bene…

D – Ci dica quello che sa.

R – Dunque. Quella sera avevo un appuntamento con i miei amici Lillino Grattuso e Nino Impallomèni all'osteria di Santa Pitronilla. Dato che Impallomèni ritardava, ci sedemmo a un tavolo senza ordinare. Poco dopo nell'osteria entrarono alcuni muratori che conoscevamo come appartenenti alla squadra di Michele Lopardo.

D – Ne sa i nomi?

R – Certo. Salvatore Jacolino, Giuseppe Biancheri, Salvatore Cumella, Francesco Spampinato, Cataldo Farruggia. Andarono a sedersi a un tavolo in fondo alla sala.

D – Il Lopardo non era con loro?

R – No. A un certo momento sentimmo venire da fuori voci concitate.

D – I compagni del Lopardo non le sentirono?

R – Penso di no perché il loro tavolo, a differenza del nostro, era lontano dalla porta. Uscimmo incuriositi. E vedemmo, proprio sotto al lampione, Nino Impallomèni e Michele Lopardo.

D – Ha udito quello che dicevano?

R – Sì. In quel momento il Lopardo, sconvolto dall'ira, stava gridando a Nino: «a voi fascisti romperemo le corna». E Nino replicava: «saremo noi a romperle a voi». A questo punto, vedendoci arrivare, Lopardo ha estratto il revolver con la chiara intenzione di sparare. Ci siamo fermati. Senonché dalla taverna sono usciti i cinque compagni del Lopardo che hanno aggrediti. Io, Lillino e Nino siamo scappati imboccando via Arco Arena che purtroppo era completamente al buio. Qui siamo stati raggiunti dai comunisti. E ci siamo difesi come meglio abbiamo potuto. Eravamo tre contro sei.

D – Eravate armati?

R – Nessuno di noi era armato. Io avevo il solito bastone col quale vado sempre in giro.

D – Ha sentito sparare?

R – Certo. Due volte.

135

D – Ha visto chi era a sparare?

R – Michele Lopardo.

D – Come ha fatto a riconoscerlo se la strada era al buio?

R – Perché la sua faccia è stata illuminata dalle due fiammate.

D – Ha capito che il Grattuso era stato colpito?

R – No. Altrimenti né io né Nino saremmo scappati.

D – E perché siete scappati?

R – Perché stavano per sopraffarci.

D – Che direzione avete preso?

R – Io e Nino ci siamo infilati dentro l'arco che da lì dopo un po' si va a finire in aperta campagna.

D – Non vi siete meravigliati per l'assenza del Grattuso?

R – Abbiamo pensato che avesse pigliato un'altra strada.

D – Quale?

R – Poteva dirigersi verso corso Vittorio Emanuele o andare dalla parte opposta verso Santa Pitronilla.

D – Quando ha saputo che il Grattuso era stato gravemente ferito?

R – Ce l'ha detto il barone Talè di Santo Stefano quando siamo andati a riferirgli dell'aggressione subita.

D – Allora che ha fatto?

R – Che dovevo fare? Me ne sono tornato dalla nonna.

D – Ha altro da aggiungere?

R – Niente.

Letto, approvato e sottoscritto

Paolo Pecorella

D – Declini le generalità.

R – Pecorella Paolo fu Guglielmo e fu Michilina Cotta, anni sissantadù, bitante supra l'ostiria di Santa Pitronilla e propietario della stissa.

D – Ci dica quello che sa.

R – Iu nenti sacciu.

D – Quella sera, nella sua osteria, entrarono Grattuso e Sandri per primi?

R – Sissi.

D – E dopo vennero i cinque compagni del Lopardo?

R – Sissi.

D – Come mai li conosce?

R – Chi m... di dumanna è? Vennu a mangiari nni mia spissu.

D – La invito formalmente a non usare questo linguaggio. Che capitò?

R – Capitò che a un certu puntu i dù picciotti si susirono e niscero.

D – Anche lei ha udito l'alterco?

R – Iu nun la sintii sta cosa qua.

D – Ha sentito voci di persone che litigavano fuori?

R – Ma quannu mai! Iu vitti a chiddri dù ca si susivano e niscivano.

D – E poi?

R – Appresso, ma era passatu tempu, si susero Totò Cumella e Ciccio Spampinato. Eranu appena nisciuti ca Totò misi la testa dintra e dissi ca in via Arco Arena sparavano. Doppo tanticchia sparâro ancora, stavota 'u bottu lu sintii macari iu, e allura niscero di cursa l'autri tri.

D – Lei ci sta dicendo che due dei cinque amici del Lopardo sono usciti dalla sua taverna quasi contemporaneamente al primo sparo?

R – Sissignura.

D – E gli altri tre addirittura dopo il secondo sparo?

R – Comu parlu, turcu? Sissignura, niscero dopo.

D – Ha precedenti penali?

R – Nonsi.

D – È iscritto o simpatizzante di qualche partito?

R – A mia mi fa simpatia sulu mè mogliere.

Letto, approvato e sottoscritto

Ernesto Impiduglia

D – Declini le generalità.

R – Impiduglia Ernesto, di anni 49, avvocato, quivi nato e residente in via Mazzini 48.

D – Nel ringraziarla per la sua testimonianza spontanea, proceda pure.

R – Addì 24 aprile, essendo domenica, mi sono recato nella mia villa di campagna in località Piccione.

D – Come ci è andato?

R – Con lo scappacavallo, il carrozzino. Ho passato lì l'intera giornata. La sera sono tornato in paese. Lasciata via del Lavatoio, volevo imboccare via Arco Arena. Ma all'altezza di via di Santa Pitronilla mi sono accorto che c'erano una decina di persone che tra loro con violenza colluttavano. Uno brandiva minacciosamente un revolver.

D – Che ora era?

R – All'incirca le nove.

D – Quindi era già buio.

R – Sì, ma la rissa accadeva proprio sotto il lampione che c'è all'angolo di via Santa Pitronilla con via Arco Arena.

D – Ha riconosciuto qualcuno?

R – Solo quello che aveva il revolver.

D – E chi era?

R – Michele Lopardo.

D – Lei lo conosce bene?

R – Certo, è venuto a lavorare una volta nella mia villa.

D – Lei allora che ha fatto?

R – Temendo di venire coinvolto in qualsiasi modo sono tornato indietro percorrendo un'altra strada per arrivare in città.

D – Ha sentito gli spari?

R – No.

D – Lei è iscritto o simpatizzante di qualche partito politico?

R – Non intendo rispondere a questa domanda. Comunque le mie simpatie politiche non hanno rapporto alcuno con l'autenticità di questa mia testimonianza.

Letto, approvato e sottoscritto

Antonio Impallomèni

D – Declini le sue generalità.

R – Impallomèni Antonio di Calogero e di Tesauro Angiolina, studente universitario, di anni 20, qui nato e abitante in via Piemonte 15.

D – Ci dica dei fatti a sua conoscenza.

R – La sera del 24 aprile avevo appuntamento con i miei amici Titazio e Lillino alla taverna di Santa Pitronilla per le otto e un quarto. Però feci tardi e mi...

D – Può dirci perché fece tardi?

R – Ero solo a casa, i miei genitori si trovano a Palermo. Mi sono messo a studiare diritto privato, sul quale dovrò sostenere un esame tra sei giorni, e non mi sono accorto che il mio orologio era fermo. Quando me ne sono reso conto, mi sono precipitato all'appuntamento. Ho fatto di corsa la strada e quando da via Arco Arena ho svoltato per via Santa Pitronilla ho visto uno che mi precedeva voltarsi, forse per il rumore dei miei passi, e fermarsi proprio sotto il lampione.

D – Ha riconosciuto chi era?

R – Certo. Michele Lopardo.

D – Che è successo dopo?

R – Io ho tentato di scansarlo, ma lui mi si è parato

davanti dicendomi: «dove corri, gran figlio di buttana?».
A sentirmi apostrofare così mi sono inalberato e ho risposto che se c'era un gran figlio di buttana era proprio lui. A questo punto Lopardo ha detto che mi avrebbe dato una lezione che non avrei più scordata. Io gli ho detto di provarci. E lui ha gridato: «a voi fascisti romperemo le corna». Io ho replicato e in quel momento ho visto uscire Lillino e Titazio dalla taverna.

D – Lei era armato?

R – Assolutamente no.

(N.B. Da qui in poi le sue dichiarazioni coincidono perfettamente con quelle già rese da Tito Tazio Sandri).

D – Che fece dopo avere appreso il grave ferimento del Grattuso?

R – Sono tornato a casa tentando di studiare. Ma non ho potuto perché ero in pensiero per Lillino.

Letto, approvato e sottoscritto

Matteo Lagreca

D – Le sue generalità.

R – Chi veni a diri?

D – Come si chiama, quando è nato, che mestiere fa…

R – Lagreca Matteo intisu «cannuzza» ca aju cinquant'anni ca li fici aieri e mi campu la vita facennu 'u scarparu senza cchiù patre né matre ca mureru tutti e dù nni la guerra…

D – Sono morti per causa di guerra?

R – Murero mentri c'era la guerra e pricisamenti ca era l'annu 1919 e ora ci cuntu comu fu. Donche, un jorno mè patre e mè matre…

D – Lasci perdere. Lei si è presentato qua sostenendo che la sera del 24 aprile si è trovato in via Arco Arena ed ha assistito ai fatti.

R – Veru è. Ma assistuto assistuto non ho datosi che c'era scuro fitto.

D – Va bene, ci dica.

R – Donche, quella sira, mentri ca passavo pi lu corsu Vittorio, mi scappò.

D – Di orinare?

R – Nonsi, di cacari. Siccome che mi ero mangiato…

D – Lasci perdere, vada avanti.

143

R – Allura pinsai che un posto bono potiva essiri dintra all'arco che c'è in via Arco Arena datosi che dintra all'arco ci sta un magazzino ca è tuttu sdirrupatu. Aviva appena finutu di fari 'u bisognu mè ca arrivaro tri di cursa e unu disse: «appustamunni ccà e appena arriva gli damu una fracchiata di lignati». Iu allura nun mi cataminai, mi scantava ca si mi vidivano, davanu una fracchiata di lignati macari a mia. Po' unu dissi: «sta arrivannu» e appena ca chiddru arrivò lu pigliaru a lignati. Iu allura minni scappai ca appressu al magazzinu sdirrupatu c'è una strata ca porta...

D – Ha sentito gli spari?

R – In cuscenza, no.

D – Lei appartiene a qualche partito o ne è simpatizzante?

R – Iu? Iu no. Ma mè figliu Roccu, ca è 'u cchiù granni datosi ca iu tegnu quattru figli, tri mascoli e una fìmmina ca di nomu fannu...

D – Grazie, può andare.

Letto, approvato e sottoscritto

144

Salvatore Cumella

D – Declini le generalità.

R – Cumella Salvatore di Filippo e di Sciangula Angelina, di anni 34, muratore, abitante in via Pozzo 12.

D – È stato lei ad accompagnare all'ospedale il ferito?

R – Sì.

D – Ci dica la sua versione dei fatti.

R – Io e i miei compagni Jacolino, Biancheri, Spampinato e Farruggia, la sera del 24 siamo andati a prendere a casa sua a Michele Lopardo per andare tutti insieme alla taverna di Santa Pitronilla.

D – Che rapporti avete tra di voi?

R – Siamo tutti muratori e facciamo parte della squadra di Lopardo. Arrivati all'altezza del Circolo ferrovieri, Michele venne chiamato da uno, allora egli ci disse di andare avanti e di pigliare posto. Noi così abbiamo fatto. Siamo andati alla taverna e...

D – Quando siete arrivati, Sandri e Grattuso erano già lì?

R – Sissignore. Dopo un poco però loro sono usciti.

D – Dicono che l'hanno fatto perché hanno sentito un alterco.

R – Noi non abbiamo sentito niente. Visto che Michele ritardava, mi sono cominciato a preoccupare.

D – Perché?

R – L'hanno diverse volte minacciato e gli hanno macari sparato. Allora, visto che ritardava troppo, ho deciso di andargli incontro. Quando eravamo passati prima da via Arco Arena avevo notato che i lampioni erano astutati, allora ho domandato a Spampinato di prestarmi il lume da carrettiere che si porta sempre appresso. Ma lui ha preferito venire con me. Eravamo appena usciti dalla taverna che ho sentito un colpo d'arma da foco sparato in via Arco Arena. Sono tornato indietro, ho avvertito i compagni e ho proseguito con Spampinato. Eravamo arrivati sotto il lampione che abbiamo sentito il secondo colpo, molto forte. Ci siamo tanticchia fermati, non sapendo che fare, poi abbiamo ripigliato a camminare. E all'angolo abbiamo visto venirci incontro di corsa Titazio e Nino Impallomèni che hanno continuato a correre imboccando la via che porta al lavatoio. Abbiamo fatto ancora qualche passo e io ho visto qualcuno steso per terra.

D – L'ha riconosciuto?

R – Sì. Era Lillino Grattuso.

D – Sapeva che Michele Lopardo era armato?

R – No. Intanto erano arrivati gli altri miei compagni, quelli della taverna. Visto che Grattuso era ancora vivo, ho svegliato a don Lollò Sciacchitano e con una sua carrozza abbiamo accompagnato a Grattuso all'ospedale.

D – Perché all'ospedale ha dichiarato che in via Arco Arena era solo?

R – Non mi piace mettere di mezzo persone.

D – Risponde al vero il fatto che ha pagato di tasca sua il trasporto del ferito all'ospedale?

R – Sì.

D – Dopo che ha fatto?

R – Sono tornato a casa.

D – Ha simpatie politiche? È iscritto a qualche partito?

R – Sì, sono comunista.

Letto, approvato e sottoscritto

D – Declini le generalità.

R – C'aju a fari?

D – È mai stato arrestato?

R – No. E vossia?

D – Non faccia lo spiritoso e dica come si chiama, quanti anni ha, dove abita, che mestiere fa...

R – Mi chiamu Spampinato Francesco, aju 40 anni, fazzo 'u muraturi, abitu in via Cicero 80.

D – Lei concorda con le dichiarazioni rilasciate da Salvatore Cumella?

R – Vangelu.

D – Si spieghi meglio.

R – Chiddru ca dici Totò Cumella vangelu è. Totò in vita sò nun ha mai dittu una farfantaria.

D – A noi interessa sapere quello che è successo dopo che il Cumella si allontanò col ferito con la carrozza dello Sciacchitano.

R – Doppo che 'u curnutu si allontanò...

D – Chi sarebbe il cornuto, scusi?

R – E cu voli ca era? Grattuso.

D – Lei non era d'accordo che Cumella accompagnasse Grattuso allo spedale?

R – Pi mia potiva muriri indovi l'avivamu attrovato. Comunqui, quanno che la carrozza partì, io, Cataldo, Pepè e Savaturi ristammo tanticchia nella strata a parlari.

D – Di che?

R – Vulivamu sapiri che era capitato a Michele. Mentri èramu accussì, spuntarono da corso Vittoriu dù òmini in borgisi e armati ca nni dissiro «mani in alto» e sparano un corpo di pistola. Nuàutri allura ni misimu a scappari.

D – Ma quei due si erano qualificati come guardie di Pubblica sicurezza!

R – Iu nun lu sintii. E manco i mè cumpagni. Forse ca lu dissiro a voci vascia ca erano guardie.

D – E perché secondo lei l'avrebbero detto a bassa voce?

R – Pirchì s'affruntavanu, si vrigugnavanu d'essiri guardii di Pubblica sicurezza. Che è, bellu fari lu sbirru?

D – Lasci perdere i commenti e vada avanti.

R – Nuàutri li scangiammo pi fascisti e datosi che iddri erano armati e nuàutri no, scappammo verso via Santa Pitronilla.

D – Non rispondeste al fuoco?

R – Vossia chi è, surdo? Ma si ci dissi ora ora ca èramu disarmati!

D – Vada avanti.

R – Dato che la mè vista è scarsa, io ristava darrè a tutti e i dù òmini mi stavano piglianno quanno m'arricordai dell'opira dei pupi.

D – Si spieghi meglio.

R – Ora vegnu e mi spiegu. Avivu vistu all'opira dei pupi una scena quannu un pallatinu fa finta di scappari assicutatu da un moro, po' tutto 'nzemmula si ferma, si volta e con la spata ammazza a 'u moru pigliatu alla sprovista. E iu fici accussì. Appena mi arrivaru vicini, mi firmai, mi voltai e desi un colpo in facci col lumi che avia in manu al primu ca mi capitò. E fici l'istissa cosa con l'àutru omo. E accussì putii scappari, macari si ci persi 'u lumi.

D – E lo scontro a fuoco coi Carabinieri?

R – Vossia voli babbiari? Quali carrabinera?

D – C'è un preciso rapporto dei Reali Carabinieri nel quale si sostiene che c'è stato uno scontro a fuoco con voi.

R – Con noi? Ma quanno successe?

D – Il rapporto dice che i Carabinieri arrivarono sul posto ma non videro le Guardie, videro voi che rispondeste al fuoco.

R – Eccillenza, la voli sapiri una cosa? I carrabinera non vittiro a noi, ma alle guardie che scangiarono per noi. E si spararono, guardie e carrabinera.

D – Lei è simpatizzante o iscritto a un qualche partito politico?

R – Sissi, comunista sugnu.

Letto, approvato e sottoscritto

Indagini

Verbale d'autopsia

«Allora che faccio, inizio?» spia Pellegriti al capo della squatra politica che gli sta assittato davanti.

Il tenente è nirbùso pirchì Lanzillotta quella matina si è portato appresso un grosso fascio di carte e ha principiato a leggere e a segnare i fogli con una matita rossa e blu senza dire né scu né passiddrà.

«Cominci pure» dice Lanzillotta senza isare la testa.

Pellegriti piglia il foglio che ha davanti, s'assistema meglio con la schina nella putruna, leggi a voce àvuta.

«La mattina del 25 aprile c.a. alle ore otto e trenta abbiamo proceduto all'autopsia del cadavere di Grattuso Calogero alla presenza del giudice istruttore Enrico Bellezza.

«Aperta la cavità cranica, all'esame della calotta si nota nella bozza parietale sinistra un foro circolare. Osservata la calotta per trasparenza, si nota che l'orificio del tavolato interno non corrisponde perfettamente a quello del tavolato esterno, come se il proiettile avesse attraversato l'osso non perpendicolarmente, ma tangenzialmente alla sua superficie e con direzione d'avanti in dietro.

«Si nota alla base del cranio un notevole versamento ematico, e nella fossa occipitale destra si rinviene un proiettile di forma cilindrica appiattito e deformato, che si reperta.

«La posizione del ferito rispetto al feritore era con ogni probabilità di fronte e leggermente laterale; l'ubicazione della lesione fa presumere che la vittima immediatamente prima dello sparo dovette volgere la testa da sinistra verso destra, come per sottrarsi al bersaglio. Firmato i periti: dottor Ignazio Lima, dottor Costantino Lafoglia».

Pellegriti posa il foglio supra il tavolo, per tutta la lettura Lanzillotta ha avuto sempre chiffari con le sò carte. Ma doppo tanticchia, sintendo la taliata del tenente fissa supra di lui, s'addecide a isare la testa.

«Che c'è, Tenente?».

«Che ne direbbe se anche io domani portassi qui le mie carte e mi mettessi a lavorare come sta facendo lei?».

«Domando scusa» fa Lanzillotta spostando il fascicolo di lato con un surriseddru. «Il fatto è che io in questi giorni turbolenti ho veramente da fare. E poi quel verbale l'ho già letto».

«Quando?» scatta Pellegriti.

«Per carità, si calmi. Ieri sera ero a cena dal giudice Bellezza e ho avuto modo di vedere, ma in modo del tutto casuale, il verbale. Mi pare che non lasci dubbi, no?».

«Che cosa?».

«Il risultato dell'autopsia. Lima e Lafoglia, che sono professionisti di tutto rispetto, scrivono a chiare lettere che il proiettile non attraversò l'osso perpendicolarmente, ma tangenzialmente e, badi bene, secondo un percorso che i periti definiscono d'avanti in dietro. Quindi…».

«Questo quindi significa che lei è arrivato a una conclusione?».

«Conclusione forse è troppo, tenente. Dico solo che l'autopsia ci dice che le cose non andarono come ci ha raccontato Lopardo. Il colpo, in sostanza, risulta sparato in faccia a Grattuso, tanto per parlare chiaro».

«Lopardo ha sostenuto che ha dovuto sparare in aria da sotto in su, non potendo alzare il braccio perché…».

«Tenente, se avesse sparato da sotto in su e casualmente avesse colpito Grattuso, la traiettoria del proiettile, all'autopsia, sarebbe risultata diversa».

«Ma allora la bruciatura sull'orlo della giacca?».

«Se la sarà fatta accendendosi la pipa».

«Guardi però che Lopardo è di circa dieci centimetri più basso di statura di Grattuso».

«E che significa? Lopardo avrà tenuto la mano con la rivoltella al di sopra della sua testa. Si ricordi che i periti concludono affermando che la posizione del ferito era di fronte al feritore: esattamente come si viene a trovare uno che stringe un altro alla gola con le due mani».

A Pellegriti l'affermazione di Lanzillotta non gli sonò, pigliò il foglio, lo taliò, lo posò.

«I periti questo non l'affermano con certezza» disse «anzi si cautelano scrivendo "con ogni probabilità"».

Lanzillotta fece un gesto di fastiddio, come quanno si voli scacciari una mosca insistente e ripigliò a taliare le sò carte. Pellegriti si susì, si misi 'n testa il cappeddru che aviva posato sul tavolo e niscì senza manco salutare.

Lo sa benissimo che si sta comportando da vastaso, ma d'altra parte il modo d'agire di Lanzillotta non è propio da galateo. Se restava con lui dintra la stissa càmmara, capace che andava a finiri a schifìo. Camina strata appresso strata senza pinsari a nenti e lentamente il nirbùso sinni va.

La jornata è bellissima, tutta una gran luce.

Senza manco sapiri come, s'attrova davanti alla Stazione. Il piantone lo saluta, lui risponde e fa per trasire.

«Il maresciallo non c'è» dice il piantone.

Pellegriti si ferma.

«Sai dov'è andato?».

«Dice che faceva un salto in via Arco Arena».

In via Arco Arena? E cosa spera di trovarci ancora?

«È andato via da molto?».

«Signornò. Da una decina di minuti».

Se affretta il passo, capace che lo trova ancora lì. E il maresciallo è propio lì, appuiato all'angolo con corso Vittorio Emanuele che talia via Arco Arena che gli sta tutta davanti. È immobile, di spalle, e Pellegriti non riesce perciò a capire la direzione dei sò occhi.

«Maresciallo!».

Tinebra ha un soprassalto e si volta di scatto. Vedendo il tenente, arrussica leggermente. Porta la mano alla visiera.

«Mi cercava, signor Tenente?».

«Non precisamente. Che guarda?».

«La strada».

Il tenente è tanticchia strammato per la risposta.

«E che spera di vederci?».

A Tinebra chiaramente fagliano le parole per spiegarsi.

«È difficile».

«Ci provi».

«È come se lei, trasendo in una camera della quale conosce tutto, avverte la fastidiosa sensazione che manca qualichi cosa. Ma non sa quale. Questa strata io la conosco benissimo e sento che ci manca qualichi cosa. Ci sono venuto stamatina presto. Nenti. Ci sono tornato ora. Nenti. Forse con la luce delle cinco di doppopranzo... Ma ora, se vuole, possiamo andare».

Il proiettile

«Signori» disse il giudice Bellezza a Pellegriti e a Lanzillotta che aviva fatto assittare nelle seggie davanti alla sò scrivania «vi ho convocato a ora sì tarda nel mio ufficio in Tribunale, e assai con voi mi dolgo del disturbo arrecatovi, per rendervi edotti di un fatto d'inaudita gravità».

Il giudice non parlava come si parla, ma parlava come si scrive. Il che, per chi l'accanosceva, viniva a diri che era incazzato assà. Erano quasi le novi di sira. E perciò manco i dù che lo stavano a sintiri si potivano diri d'umori allegro: infatti per obbedire alla convocazione improvisa, Pellegriti aviva dovuto lassare a mezzo la cena, Lanzillotta invece si era assittato allura allura a tavola, il tempo d'infilarsi il tovagliolo dintra al colletto.

«Riguarda l'omicidio Grattuso?» spiò incauto il commissario.

Bellezza gli arrivolgì un'occhiatazza e non gli arrispunnì.

«È un problema. E io non so dove e come prenderlo» disse.

«Cominci col prenderlo in culo mettendosi alla picorina» gli suggerì col pinsero Lanzillotta che non gli aviva pirdonato l'occhiatazza.

Finalmente il giudice s'addecidette.

«Come lorsignori certamente ne hanno contezza, il proiettile che i dottori Lima e Lafoglia hanno rinvenuto nel cranio del Grattuso mi è stato dai medesimi inviato per plico raccomandato dieci giorni fa. Io tale plico l'ho fatto mettere tra i reperti contenuti in una stanza all'uopo adibita, stanza sempre chiusa, la cui chiave è tenuta dall'usciere Bonifati Carmelo. E l'ho nomato bis».

«All'usciere?» spiò Lanzillotta che non ci aviva capito nenti di quel bis.

«No, commissario, al reperto. L'ho nomato 320 bis dato che al revolver del Lopardo era stato assegnato il numero 320. Ieri mattina io chiamai il Bonifati perché mi portasse i reperti 320 e 320 bis che intendevo far pervenire, in apposito plico a mano, a un perito balistico di Palermo nominato...».

«320 ter» pinsò fulmineo Pellegriti.

«... da questo Tribunale. Orbene, poiché il Bonifati tardava a tornare, io risolvetti di recarmi nella stanza dei reperti. E qui mi trovai al cospetto dell'usciere in lacrime. Non riusciva a rinvenire né il revolver né la scatoletta con il proiettile. E infatti, in sul ripiano dello scaffale, tra il reperto 319 e il reperto 321, c'era uno spazio vuoto. Allora anch'io mi sono messo all'opra, sperando, ma la speranza poscia si è rivelata vana, in un casuale scangio di posto. Col trascorrere delle ore, sempre più appariva remota l'ipotesi del posto scangiato. Ma non ho desistito, ho fatto continuare le ricerche tra i reperti che sono lì accumulati da decenni. Oggi pomeriggio, verso le diciassette, il Bonifati mi faceva notare che attorno alla serratura della porta d'accesso alla stanza c'era una sia pur minima, ma purtuttavia chiara, traccia d'effrazione alla quale non avevamo fatto caso in precedenza. È chiaro che qualcuno aveva osato introdursi nottetempo nel Tribunale, aveva scassinato la porta della stanza dei reperti e aveva asportato vuoi l'arma vuoi il proiettile! Mi ripromettevo di sporgere regolare denunzia quando, verso le 19, che già m'apprestavo a lasciar l'ufficio, un usciere mi consegnava quella che in sulle prime parvemi una scatola da scarpe, recapitata a mano, a suo dire, da uno sconosciuto. Ebbene, era sì una scatola da scarpe, ma dentro vi erano il revolver, la scatolina col proiettile e un biglietto!».

«Bonifati Carmelo, ha detto?» spiò Lanzillotta senza logica, a malappena ammucciando uno sbadiglio.

«Sì, ma che c'entra?».

«Niente» fece frisco frisco il commissario.

«Ora do a lorsignori lettura del biglietto».

Lo pigliò dalla scrivania, l'ammostrò sullennemente. Era un foglio di carta di quaterno a quatretti.

«"Signor giudice Bellezza, vorremmo attirare la sua attenzione sul fatto che mentre il proiettile esploso presenta segni di rigature, la canna del revolver non ha rigatura. Quindi il proiettile non è stato sparato da quest'arma. Firmato: un amico"».

«Ora io mi domando e dico: qual paese è questo dove un malavitoso ha la possibilità e la sfacciataggine di rubare due reperti dal Tribunale, farsi fare una perizia e poscia rimettere al giudice istruttore reperti e perizia? A qual punto estremo siamo noi arrivati? E in qual precipizio ruineremo?».

Non ebbe risposta né da Lanzillotta né da Pellegriti che lo taliavano come a tiatro, ammutoliti. Allura dette una suspirata di sconforto e si susì.

Lanzillotta e Pellegriti si susero macari loro.

«Chiedo venia a lorsignori pel disturbo. Domattina avranno la mia denunzia scritta. Buonanotte».

«Mi permetta una domanda» spiò a tradimento Lanzillotta. «Ma lei, signor giudice, è sicuro che il proiettile che le è stato restituito sia lo stesso di quello che aveva fatto repertare?».

Bellezza restò imparpagliato tanticchia, ma solo tanticchia.

«Più che certo. L'ho esaminato bene tutte e due le volte che l'ho avuto davanti. Prima del trafugamento e dopo. Buonanotte».

«Buonanotte a lei» fece Lanzillotta mentre Pellegriti salutava militare.

Il corridoio era lunghissimo e quasi allo scuro, i loro passi facivano eco.

Tutto 'nzemmula, Lanzillotta ridacchiò.

«Perché ride?» spiò Pellegriti.

«Perché è un grandissimo figlio di buttana».

«Chi?».

«Bonifati».

Stavano scinnenno la prima rampa di scale e il tenente si fermò di colpo.

«Lei pensa che sia stato l'usciere a...».

«Non lo penso, ne sono certissimo. E quando si è reso conto che prima o poi si sarebbe sospettato di lui, ha fatto due graffietti torno torno alla serratura e si è messo al sicuro».

Niscero all'aperto, la sirata era bona.

«Ma perché l'avrebbe fatto?» spiò Pellegriti che non si capacitava.

«Perché è un simpatizzante comunista, caro tenente. Mi sono pervenuti parecchi rapporti su di lui. Ma è troppo furbo per poterlo accusare di qualcosa».

Davanti al palazzo indovi che ci stavano le sedi della «Lega antibolscevica», dei nazionalisti e dei fascisti, un omo supra una scala stava livanno un'insegna. Pellegriti si fermò a taliare.

«La stanno cangiando» gli spiegò Lanzillotta. «Non ha letto "Il Popolo d'Italia" dell'altro ieri?».

«No. Non leggo giornali politici».

«E fa male. Comunque: Mussolini ha deciso di trasformare il movimento fascista in partito. Entro pochi giorni, una mesata al massimo, saranno resi noti programma e statuto. Evidentemente sta accelerando i tempi».

«Di che?».

«Di andare al potere, Tenente».

«In quanto a quella specie di perizia che hanno fatto avere al giudice...» principiò Pellegriti.

«Quella è carta straccia, comunque. Sia che il proiettile sia stato sostituito sia che sia quello originale. Adesso la saluto. Ci vediamo domattina, come al solito».

Girò a mano manca, trasì dintra a un portone. Pellegriti invece proseguì verso la Stazione, gli era vinuta un'idea. Il portone era già inserrato, tirò la corda della campanella.

«C'è il maresciallo?» spiò al carabiniere che era venuto a raprirgli.

«Sì, ma…».

Pellegriti s'addiresse verso l'ufficio del maresciallo la cui porta era mezza aperta.

«Permesso» disse e trasì.

Tinebra era in maglia, mutanne e ciavatte e stava liggenno un foglio.

Pellegriti fece un sàvuto narrè.

«Mi scusi» disse.

Macari il maresciallo parse affruntato.

«Ero di sopra, stavo andando a corcarmi ma mi hanno chiamato per un fonogramma urgente… Vado subito a vestirmi».

«Ma no, se è per me, resti pure così. Ero venuto solo per farle una domanda».

«Me la faccia».

«Maresciallo, lei sa se in paese c'è qualcuno che sia in grado di fare una perizia balistica in pochissimo tempo?».

«Posso domandarle perché lo vuole sapere?».

Pellegriti gli contò la facenna del giudice e dei reperti scomparuti e riapparuti.

«C'è uno» disse Tinebra. «Un varberi. Si chiama Contino Salvatore. Ha il salone in via Principe Umberto».

«Un barbiere?».

163

«Sì, signor Tenente. Forse il migliore perito balistico di tutta la Sicilia».

«Lo chiamano spesso i tribunali?».

«Lo chiamano spesso, ma non i tribunali. Non potrebbe essere accreditato. Ha le carte macchiate».

«Che ha fatto?».

«Diverse cose» arrispunnì evasivo il maresciallo.

«Se non lo chiamano i tribunali, chi lo chiama?».

«La mafia, tanto per fare un esempio, quando c'è tra loro contrasto per l'attribuzione di un omicidio».

«Capisco. Senta, Lanzillotta ha avanzato l'ipotesi che abbiano, nel rimandare indietro i reperti, sostituito la pallottola».

«Dopo che Contino aveva fatto la perizia?».

«Sì».

«Nessuno avrebbe il coraggio di fare uno sgherzo accussì a Contino dopo che quello aveva detto la sua».

«E non può essere che a Contino abbiano portato per la perizia non il proiettile originale, ma uno rigato e che il barbiere, in assoluta buona fede...».

«Impossibile».

«Perché?».

«Perché sarebbe stata una mancanza di rispetto per Contino e questo gli amici di Contino, quelli che ricorrono a lui, non avrebbero potuto sopportarlo. Mi sono spiegato?».

«Perfettamente. Dunque se quella pseudo perizia sostiene che il proiettile non è stato sparato da quel revolver dice...».

«... la virità di Dio, signor Tenente».

Il comunista

Per tutta la nuttata, non ci poté sonno. Tante erano le domande che gli firriavano per la testa e lo tinivano vigliante, ma si potivano riassumere in una sola: che cosa sapivano di cchiù i comunisti, perché certamente erano stati loro, qui aviva ragione Lanzillotta, per andare a farsi fare la perizia dal varberi Contino?

Dovivano per forza sapiri qualichi cosa che lui non sapiva, andando da Contino erano quasi certi che la perizia sarebbe stata a loro favore, se avessero avuto il minimo dubbio che sarebbe stata sfavorevole, sarebbe stato meglio assà non fari quella mossa pirchì, stando a quello che gli aviva detto il maresciallo, non avrebbero potuto fari altro che accettarla. E mettiri il carrico da undici sulla colpevolezza del compagno Lopardo. Il quale Lopardo aviva sempre ammesso d'aviri sparato, la quistione perciò era semplici, bisognava arrinesciri a capiri se era stato omicidio volontario o no. Ma sostiniri che il proiettile che aviva ammazzato a Grattuso non era partito dalla rivoltella di Lopardo significava mettere in discussione lo stisso svolgimento dei fatti. Un rischio grosso assà, per correrlo abbisognava aviri carte bone in mano.

Ma quali carte?

Si susì presto, a malgrado che si sentiva intronato per la mancanza di sonno. Prima di andare in Prefettura, passò dalla Stazione.

«Maresciallo, chi è il segretario della sezione locale del partito comunista?».

Tinebra non s'ammaravigliò della domanda, doppo la visita del tenente la sira prima, era certo che quello sarebbe andato avanti nella facenna.

«Un perito minerario. Si chiama Scibetta Antonio».

«Lei lo conosce?».

«Io a tutti conosco. Perché?».

«Gli voglio parlare».

Tinebra si fici pinsoso.

«E comu ci voli parlari? Ufficialmente? Ufficiosamente? Da Tenente a Segretario di sezione? Da omo a omo?».

«Da uomo a uomo. E dove vuole lui. Ma vorrei vederlo in giornata. E lei, maresciallo, dovrebbe assistere all'incontro. Potrebbe essermi d'aiuto, lei di questo paese sa tanto e io niente».

«D'accordo. Le farò sapere».

Tanticchia prima che a Lanzillotta gli venisse la solita botta di pititto, il che puntualmente si verificava all'una meno un quarto, s'appresentò un carrabinere con un biglietto di Tinebra. Diciva semplicemente:

«Ore diciotto, alla Stazione».

Alle cinque di doppopranzo, doppo dù ore di discussioni con Lanzillotta, staccò. Disse al commissario che aviva un impegno e sinni niscì. Andò al Comando provinciale, indovi alloggiava, e si cangiò, mittennosi in abiti borgisi. Alle sei meno cinco era già alla Stazione e la prima cosa che notò fu che macari Tinebra era in abiti civili. Il maresciallo gli sorrise, lui ricambiò. Si erano intisi. Alle sei spaccate Scibetta s'appresentò.

Era un quarantino chiuttosto vascio, vistuto con proprietà, senza varba né baffi. Biunno di capilli, aviva un paro d'occhi azzurro chiaro che parivano acqua di mari. S'assittò composto davanti al tavolo, Tinebra si pigliò la seggia e se la mise tanticchia scostata sia dal tavolo che da Scibetta.

«Grazie di essere venuto» disse il tenente.

«Io sono qua» fece Scibetta «perché a chiamarmi è stato il maresciallo che è pirsona stimata e perché in paìsi si dice bene di lei, signor tenente».

«In che senso?».

«Nel senso che lei non piglia partito, fa il carrabinere e basta».

«Signor Scibetta, quando frequentavo il corso, trovai nella biblioteca un libro il cui titolo mi sembrò buffo, si chiamava *Galateo del Carabiniere* ed era stato stampato nel 1879, mi pare. Leggendolo, dovetti persuadermi che era un libro serio. Qualche riga l'ho mandata a memoria. "Pel carabiniere non vi sono né caste, né associazioni, né ricchi, né poveri, non vi sono che dei cittadini"».

«Quello che ha appena detto va bene macari per noi che non siamo carrabineri ma comunisti» commentò Scibetta con un surriseddru.

«Io l'ho voluta incontrare perché...».

«Lo so il perché» l'interruppe Scibetta.

«Ah, sì? Me lo dica lei, allora».

«Perché c'è stato un compagno che ha agito di testa sua facendo avere un pacco al signor giudice Bellezza e mettendoci dentro macari un bigliettino. Un'autentica cretinata. Una spirtizza dannosa. Mentre invece il pacco si doveva riportare a chi ci aveva fatto il favore e che avrebbe saputo come rimettere le cose a posto».

«Il giudice Bellezza stamattina ha sporto denunzia. Ma non a noi, al capo della Squadra politica della Questura».

«Non glielo ho appena detto che era una spirtizza dannosa? Ma se voi carrabinieri non avete ricevuto la denunzia, allora...».

«Allora significa che a me non interessa la storia di quello che è successo in Tribunale, mi interessa il prima».

L'occhi di Scibetta di colpo cangiarono colore e si stringero, addivennero dù punti blu.

«Mi spiega meglio?».

«Certamente. Ho saputo dal maresciallo Tinebra che sulle perizie che fa una certa persona non è possibile discussione. Si accettano e basta. È così?».

«Sì».

«E allora chi ha portato i reperti a periziare sapeva che c'era un'alta probabilità di poter avere un responso favorevole. Com'è arrivato a questa convinzione? Certamente è venuto in possesso di informazioni che noi non abbiamo».

«Le posso fare due domande?».

«Le faccia».

«Che ne pensa il dottor Lanzillotta?».

«Il dottor Lanzillotta ha una sua personale idea e cioè che il proiettile fatto vedere al perito non è quello sparato dal revolver di Lopardo».

«E lei?»

«Io so solo una cosa: che per fare una mossa così rischiosa, gli amici di Lopardo qualcosa dovevano avere in mano. Qualcosa che potrebbe ribaltare la visione del fatto così come noi l'abbiamo adesso».

Scibetta si puntò col busto avanti, come un cane da caccia.

«E lei avrebbe la forza di fare questo ribaltamento? Ora come ora? Con la situazione politica che c'è?».

«Le ho già fatto capire che la situazione politica non è cosa che possa ostacolarmi» fece friddo friddo il tenente.

«E va bene» disse Scibetta rilassandosi e appuiandosi alla spalliera della seggia. «Il giorno appresso che Nino Impallomèni è stato interrogato, il baronello Talè di Santo Stefano è andato a trovare il padre di Nino. Hanno parlato a lungo, ma non si sa di cosa. Fatto sta che il giorno seguente il baronello ha imbarcato Nino su un treno e l'ha spedito a Parigi dove vive un suo zio».

«Aveva già il passaporto?».

«Nossignore. L'ha ottenuto in dodici ore per gentile interessamento del dottor Lanzillotta. E faccio presente che era imputato di rissa».

Il tenente restò pinsoso.

«Il giorno stesso della partenza di Nino» continuò

Scibetta «c'è stata un'altra partenza. Titazio Sandri, imputato nella stessa rissa, se ne è tornato a Cremona. Sempre accompagnato al treno dal baronello. A qualcuno questo scappa scappa è parso strano».

«Lei ha saputo niente di queste partenze?» spiò Pellegriti a Tinebra.

«Signornò» arrispunnì il maresciallo.

«Allora qualcuno ha cominciato a farsi delle domande. Per esempio: se Titazio era armato di un grosso bastone, se Grattuso aveva il solito pugno di ferro...».

«Un momento» fece il tenente. «Le ferite sul corpo di Lopardo non sono state inferte con un pugno di ferro. Ne è stato rinvenuto uno per terra in via Arco Arena, ma chi ci dice che...».

«Glielo dico macari io» intervenne il maresciallo. «Grattuso se lo portava sempre appresso. Non l'ha usato contro Lopardo perché probabilmente se l'è perso prima dello scontro».

«... come mai solo Nino era disarmato?» terminò Scibetta.

«E a quali conclusioni è giunto questo qualcuno?» spiò Pellegriti.

«Al momento, a nessuna conclusione. Solo che è strano che Impallomèni non aveva un'arma, tutto qua. E dopo a uno venne in testa la vedova Callarè».

«Minchia!» fece il maresciallo dandosi una gran manata sulla fronte.

Il tenente lo taliò completamente strammato, macari Scibetta si voltò.

«Domando scusa» disse Tinebra. «Si ricorda, signor

Tenente, che, quando mi venne a trovare in via Arco Arena, le dissi che cercavo una cosa che mi sfuggiva? L'avrei trovata se riuscivo a passare da lì dopo le otto e mezza!».

«Ma perché alle otto e mezza?» spiò Pellegriti intordonuto.

«Perché alle otto e mezza di sira» spiegò Scibetta «la signora, che è cieca, si fa mettere al balcone dalla nipote e lì resta per un'orata o poco più. Quindi quella sera del 24 la vedova Callarè deve avere non visto, ma sentito qualche cosa della sciarra. Ha un udito finissimo. E questo amico al quale era venuta l'idea, è andato a trovare la vedova. La quale ha detto di aver sentito una cosa che... Proprio quella cosa che ha spinto i compagni a far fare la perizia».

«Che disse la vedova?».

«Questo non mi sento di riferirglielo. Se la signora Callarè lo vuole, lo ripeterà macari a lei».

Il tenente si susì. Il maresciallo e Scibetta l'imitarono.

«Grazie» disse Pellegriti.

«Sono io che la ringrazio» replicò Scibetta. «E mi creda: è stata una vera consolazione conoscerla».

Tinebra accompagnò a Scibetta fino alla porta e doppo tornò e s'assittò davanti al tenente senza manco spiargli pirmisso. Era nìvuro in faccia e soprappinsero.

«Non mi pirdono di non essermene addunato» disse.

«Di che?».

«Della fujtina di Titazio e di Nino».

«Secondo lei perché l'hanno fatto?».

«Perché devono aver contato al baronello Talè di Santo Stefano come è andato veramente il fatto. E quello li ha fatti partire».

«Quindi, a rigor di logica, il fatto non ci è stato contato in modo giusto. E le faccio notare che manco Lopardo ce l'ha contato giusto, malgrado abbia tutto l'interesse a dirci la verità».

«Può darsi che Lopardo non ce la conti giusta, ma non è in malafede, a lui le cose sono parse accussì».

Calò silenzio. Doppo tanticchia il tenente spiò:

«Lei pensa che debba informare il dottor Lanzillotta di questi nuovi sviluppi?».

Tinebra fece un sàvuto sulla seggia.

«Ma con Scibetta abbiamo parlato privatamente! Quello si è fidato di noi! Sarebbe uno sbaglio!».

«Non sono tanto sciocco da andargli a raccontare l'incontro di questa sera» fece piccato Pellegriti. «Stia pur sicuro che avrei trovato un modo convincente di...».

«Ma a che scopo?».

«Nessuno scopo, maresciallo. E mi fa meraviglia questa sua domanda. Semplice lealtà di comportamento».

Tinebra si susì, s'avvicinò alla finestra, taliò fora che c'era scuro fitto, doppo si voltò e murmuriò:

«Avrei preferito non dirglielo».

«Che cosa?».

«Si ricorda della testimonianza dell'avvocato Ernesto Impiduglia, quello che dichiarò che di ritorno dalla sua villa in campagna, si era imbattuto in una rissa in via Santa Pitronilla, sotto al lampione?».

«Certo che me ne ricordo».

«Lo sa a quale partito appartiene l'avvocato?».

«Non ha voluto, e giustamente a mio parere, dichiararcelo. Quella è una domanda che Lanzillotta fa a tutti».

«È iscritto al partito socialista».

Il tenente lo taliò sbalorduto.

«Dunque» proseguì il maresciallo «se l'avvocato dichiara d'aver visto la sciarra sotto al lampione di via Santa Pitronilla e dice che Lopardo aveva in mano il revolver, lo dice per amore di verità e per scrupolo di persona onesta, macari se gli costa assà di andare contro qualcuno che ha quasi la sua stessa fede politica. La sua testimonianza sarà un carrico da undici in mano all'accusa quando ci sarà il processo. Solo che c'è un piccolo dettaglio».

«Quale?»

«Che l'avvocato Impiduglia quella domenica non andò nella sua villa di campagna. Lo disse alla moglie che ci andava, ma non ci andò».

Al tenente cadì la parti di sutta della mandibola, facendolo di conseguenzia restare con la vucca aperta.

«E dove andò?».

«In un'altra villa di campagna, però a Raccuia, quattro chilometri da qua. E per andare e tornare da Raccuia non si passa dalla via del lavatoio, ma dalla parte opposta del paese».

«Che ci era andato a fare a Raccuia?».

«A trovare la sua amante, la signora Cesira Alberti, bolognisa, vidova. Come del resto fa da tre anni una domenica sì e una domenica no».

«Ma perché ci ha fornito una falsa testimonianza?».

«Perché non ha potuto dire di no».

«A chi?».

«A Lanzillotta».

«Ma che mi dice?!».

«Quel povirazzo d'avvocato si è trovato davanti a un vero ricatto. O testimoniava in un certo modo o la signora Impiduglia, che è ricca mentre il marito non ha un centesimo, sarebbe stata informata della tresca».

«E secondo lei Lanzillotta è un uomo da fare ricatti?».

«Lanzillotta è capace di questo e altro. Quanti sono quelli che hanno testimoniato d'aver visto la sciarra in via Santa Pitronilla?».

«Cinque».

«Levato l'avvocato, ne restano quattro. Uno è Salvatore Lodico, macellaio?».

«Sì».

«Allora la informo che il figlio di Lodico, Antonio, è stato fermato da Lanzillotta due giorni prima che il padre si offrisse volontariamente di testimoniare. Il giorno appresso alla testimonianza, Antonio Lodico è stato rimesso in libertà. E ne restano ancora tre. Andiamo avanti. Filippo Dibella è uno che…».

«Basta» disse Pellegriti. «Non voglio sapere altri nomi di falsi testimoni. Mi domando solo perché Lanzillotta agisce così».

«Ma come fa a non capirlo, tenente? Il commissario la pensa politicamente in un certo… E agisce di conseguenza, non solo per obbedire alle sue convinzioni, ma per tirarne il suo tornaconto».

«Non vedo che tornaconto...».

«Ora come ora non ne ha, ma massimo tra un anno quelli che la pensano come lui governeranno l'Italia. Non lo vede come vanno le cose? E Lanzillotta sarà in grado allora di esibire le sue benemerenze e di ricevere in cambio quello che domanderà».

«Non parli di politica, per favore».

«E chi ha parlato di politica? Io non ho nominato nessun partito».

«Voglio farle una domanda e desidero una risposta chiara».

«Agli ordini».

«Come ha fatto a sapere tutto quello che mi ha raccontato sui testimoni?».

«Ho indagato discretamente».

«Ma perché si è sentito d'indagare?».

«Perché sono convinto che lo scontro è avvenuto in via Arco Arena. Lì è principiato, e non in via Santa Pitronilla, e lì si è concluso. E vi hanno partecipato solo Grattuso, Impallomèni, Sandri e Lopardo. Lo scontro in via Santa Pitronilla, con la partecipazione dei compagni di Lopardo, non c'è mai stato. Quelli sono intervenuti a cose fatte. Le false testimonianze hanno lo scopo di alleggerire la posizione dei tre, facendoci credere che i tre picciotti sono stati costretti a difendersi da sei aggressori, uno dei quali armato».

Il tenente ci pinsò supra tanticchia, doppo si susì.

«A parlare con quella vedova... come si chiama?».

«Callarè».

«Ci andrà lei da solo, domani mattina».

175

«Lei non vuole venire?».

«Forse è meglio di no. È meglio che continui a incontrarmi in Prefettura con Lanzillotta, troppe assenze mie potrebbero…».

«… insospettirlo?» concluse il maresciallo al posto del tenente.

«Già» fece asciutto Pellegriti. «E domani sera verso le diciotto tornerò qui e lei mi riferirà».

«Agli ordini».

La vidova Callarè

Alle otto e mezza del matino il maresciallo, in abiti borgisi che meno lo notano e meglio è, imbocca via Arco Arena. È ancora presto, ma già ai primi di giugno, è il 4, c'è un sole che pari stati. Il portoncino del nummaro cinco è aperto, il maresciallo trasi e quasi va a sbattiri contro a una picciotta diciassittina che sta niscenno.

«Cerca a quarcuno?» spia la picciotta.

«Sì, la signora Callarè».

«Nun c'è».

Tinebra non si squieta, forsi qualichiduno l'avrà accompagnata a la santa missa.

«Lci abita qua?».

«Sì, al primo piano».

«Sa dov'è andata la signora?».

«La signura non è andata. Ci l'hanno portata».

«E dove?».

«Allo spitali. Passannaieri».

Tinebra sente perfettamente la rumorata che fa il sò cori cadenno morto 'n terra.

«Vossia parenti è?».

«No. Avevo bisogno di…».

«Allura parlassi con la nipoti Nunzia. Vinissi cu mia ca ci fazzu vidiri indovi abìta».

Fortunatamente la nipote sta nella strata allato. Nunzia Quadarella è una trentina che, quanno Tinebra arriva, sta facenno tri cose: lavari 'u culu a un picciliddro di un anno, dari una pidata a un altro culu appartenente a un picciliddro di dù anni e fari mangiari una pappetta a un picciliddro di tri.

«E vossia cu è e chi voli?».

«Signora, sono un maresciallo dei carabinieri. Ero andato da sua zia per un'informazione e mi hanno detto che…».

«Sissignura, allo spitale è. Cosa seria assà pari».

E miracolosamente arrinesci a fari un'altra cosa, 'u signu d'a cruci.

Tinebra ringrazia, nesci, si fa quasi di cursa la strata fino allo spitale.

All'accettazione non arrisulta nisciuna signora Callarè. Vuoi vidiri che l'hanno registrata col sò cognomi di schetta? Sì, ma qual è? Torna a palla allazzata dalla nipote Nunzia la quale sta facenno tri cose: scupari 'n terra, stirari una cammisa e tiniri nelle vrazza il picciliddro cchiù nico per farlo addrummisciri. Appena Nunzia vidi trasiri il maresciallo, fa una vociata, s'accula supra una seggia, giarna, il picciliddro, arrisbigliato dalla vociata, si metti a chiangiri.

«Morsi! Morsi 'a zà Assunta!».

«No, signora, non è morta. Sono tornato per sapiri qual è il sò nome da schetta».

«Bartolomeo Assunta, si chiamava! Mischina!».

Prima che la nipote si persuada che la zia è ancora viva, dovrà passare un certo tempo. Che il maresciallo non ha. Infatti senza manco salutare, nesci e ripiglia di cursa la strata. Arriva allo spitale che è vagnato fradicio di sudore.

«Ah, la signora Bartolomeo è ricoverata nella seconda corsia».

«Posso andare a trovarla?».

«No».

«Perché?».

«Non è orario di visita».

«Senta, ma per sapere come sta?».

«Deve parlare con matre Biniditta».

«E dove la trovo?».

«Sta arrivanno, la vede?».

Una suora piccola, minuta, decrepita, veleggia dal corridoio verso l'accettazione, deve aviri il vento in poppa pirchì navica a velocità considerevole. Principia a virare a tribordo, ma Tinebra l'abborda.

«Permette, madre? Sono Pippino Tosco, nipote della signora Bartolomeo, un'ottantenne che hanno ricoverato...».

«So chi è la signora Bartolomeo» dice brusca la monaca che deve stare tutta calata narrè per potirlo taliare in faccia. «Si pigliò una polmonite laida. Grave è».

E in un vidiri e svidiri scompare darrè una porta. Tinebra si sente le gambe di ricotta, è obbligato ad appuiarsi al muro per reggersi addritta.

Capisce che se quella mori, la sò indagine va a buttane.

Da allura non faglia jorno che il maresciallo non fa un salto allo spitale a dumannari notizie. Ed è una gran camurria, pirchì ogni volta deve mittirisi in borgisi. E vìdilo oggi, vìdilo dumani, matre Biniditta finisce che lo piglia in simpatia.

«Come sta, caro signor Tosco?».

«Io bene. La zia?».

«Un pochino meglio. Ah, ce ne fossero nipoti affettuosi come lei!».

Finalmenti, doppo una quinnicina di jorni di va e veni, una matina matre Biniditta gli fa:

«Venga con me».

Il maresciallo la segue per il corridoio, una scala, un altro corridoio e fino a dintra a un cammarone con una vintina di letti tutti occupati. Lamenti, suspiri, scatarramenti. Matre Biniditta si ferma vicino a un letto, fa 'nzinga a Tinebra d'avvicinarisi. Doppo si cala verso la malata e chiama:

«Signora Bartolomeo! Signora!».

«Che c'è, matre?» fa una voce debole ma bastevolmente chiara che viene dal letto.

«Una bella sorpresa per lei! C'è suo nipote Pippino Tosco!».

«Eh?».

«Pippino Tosco, suo nipote!».

«Eh?».

«Ci parli lei» dice matre Biniditta scostandosi.

«Meno mali che è cieca» pensa il maresciallo.

Si cala amorevolmente, parla con la voce vascia e confortevole con la quale si parla ai malati.

180

«Zia Assunta, io sono! Tuo nipote Pippino sono! Non ti ricordi di me?».

«Eh?».

«Meglio non insistere» dice matre Biniditta, ammuttando fora il falso nipote.

«Ma ci sta con la testa?» spia Tinebra.

«Ci sta, ci sta. Si vede che oggi era stanca».

Come Dio voli, jorno 28 dello stisso misi la vidova Callarè po' tornari a la sò casa, completamente ristabilita. E alle novi del matino di jorno 30, doppo aviri parlato con la nipoti Nunzia, puntuali comu la morti, il maresciallo s'appresenta alla vidova che l'arriceve vistuta di tutto punto, assittata supra una putruna nella càmmara di mangiari. È bella, arriposata, sirena, si vede che il ricovero allo spitale le ha giovato.

«S'assittasse».

«Signora, sono un maresciallo dei carabinieri, mi chiamo Tinebra e mi scuso di doverla disturbare…».

«Arripitissi» dice la vecchia.

Tinebra stramma, non capisce.

«Che ha detto, signora?».

«Di ripitiri chiddru ca disse».

«Parola pi parola?».

«Sì».

«Signora, sono un maresciallo dei carabinieri, mi chiamo Tinebra e mi scuso di doverla disturbare…».

«Pirchì quanno vinni a truvarimi allo spitali disse ca era mè niputi e ca si chiamava Pippino Tosco?».

Minchia! L'ha raccanosciuto dalla voce! E che memoria che ha! Il primo impulso del maresciallo è di susirisi e d'abbrazzarla.

«Sa, signora, non volevo che in ospedale…».

«Va beni, va beni. Mi dicissi chi voli di mia».

«Signora, la sera del 24 aprile, quando qui ci fu la sparatoria, lei era al balcone?».

«Sissi, comu 'u solitu».

«Quindi ebbe modo di sentire quello che capitò?».

«Sissi, tuttu».

«Potrebbe raccontarmelo?».

E la vidova conta. I passi di tri pirsone che arrivano di cursa da via Santa Pitronilla e parlottano, ma a voci troppo vascia, lei non ci capisce manco una parola. Doppo c'è silenzio e appresso si sentono i passi di uno che viene da corso Vittorio Emanuele. Tutto 'nzemmula, altri passi che arrivano currenno e la rumorata di una sciarra.

«Ha sentito qualche parola, un nome?».

No, nenti. Solo rumorate di botte, respiri affannosi e pisanti. Po' una voce che viene dall'arco dice: «Staiu arrivannu, picciotti!». Altri passi a vilocità e la sciarra che si fa cchiù incaniata. Doppo tanticchia, il primo colpo di revorbaro. Ma la vidova non sente nisciuno che fa voci o si lamenta. Scantata, pinsanno che qualichiduno può vidirla al balcone (non sapi che è invisibile, dato che i lampiuna sono astutati come le dirà il jorno appresso la nipote), si susi dalla seggia e tenta di trasiri nella càmmara. Ma truppica e cadi longa stisa, le gambe dintra alla càmmara, il busto e la testa sulle tavole del balcone. A questo punto c'è il secunno sparo, violento, fortissimo.

«Come fortissimo?» spia il maresciallo.

Rispetto alla posizione del balcone i dù colpi sono stati praticamente sparati dallo stesso posto. Come rumorata, non dovrebbe perciò esserci differenza.

«Fortissimo» ripete la vidova. «Chiossà del primu. Mi parsi squasi una bumma. E pinsai che avivano sparato a mia».

«Perché?».

«Pirchì ci fu, 'nzemmula cu 'u bottu, n'autru rumuri vicino a mia. Ma nun ci lu sacciu spiegari chi tipu di rumuri».

«Sentì qualcosa passarle vicino?».

«No, non passò. Nun lu sacciu chi fu. E subitu appressu unu fici 'na vuci».

«Capì quello che disse?»

«Certu. Disse sti pricisi paroli: "l'haiu ammazzatu a stu porcu comunista!". Accussì disse».

Tinebra ha l'impressione che il pavimento della càmmara ha ceduto, sta infatti cadenno dintra a una specie d'imbuto nìvuro. Di colpo, s'arritrova assammarato di sudore.

«Signora, forse si è sbagliata. Deve aver sentito: "l'haiu ammazzatu a stu porcu fascista!". Perché vede…».

«Lu sacciu ca a muriri fu un fascista! Mi lu dissi me niputi Nunzia. E non mi capacito. Ma iu sintii precisu chiddru ca le ho dittu. Ci lu pozzu giurari. E lu pozzu giurari macari davanti a 'u judici!».

A Tinebra il ciriveddro firrìa come una trottola. E ora capisce pirchì Scibetta e compagni, quanno hanno

183

sintuto dalla vidova quello che hanno sintuto, si sono precipitati a far fare la perizia supra il revorbaro di Lopardo. Si susi.

«Signora, la ringrazio. Voglio farle una raccomandazione: di questa storia e di quello che ha sentito, non ne parli con nessuno, mi raccomando».

Alle sei e mezza di quella stissa jornata, Tinebra conta tutto al tenente. Il quale viene colpito da subitanea mutangheria. Si piglia la testa tra le mano, si passa un fazzoletto sulla fronte, allenta, ma di tanticchia, il nodo della cravatta, si susi, fa dù passi, s'assetta, si risusi, si rimette a posto la cravatta, ma non rapre vucca. Doppo torna ad assittarsi e dice:

«Forse bisogna verbalizzare la testimonianza della signora».

«Mi perdoni una domanda, Tenente: è necessario, prima di procedere alla verbalizzazione, che lei informi il dottor Lanzillotta?».

«Certamente».

«Allora avverto la nipote che faccia preparare il tabbuto per la zia».

«Ma che dice?!».

«Dico che la signora Assunta è cieca. Basta che si sporge troppo dal balcone, basta che mette un piede malamente mentre scende la scala… E la testimonianza non sarà mai verbalizzata».

«Non le permetto queste insinuazioni!».

«Agli ordini».

Cala piombigno silenzio.

«Come bisogna agire, secondo lei?» spia Pellegriti

doppo aviri perso un quarto d'ora a sfogliare il calannario dell'Arma.

«Sinceramente non lo so» dice Tinebra. «Ma mi pare che il 5 d'agosto lei va in licenza. E macari il giudice Bellezza va in ferie. Se lei di questa facenna della vidova non ne parla con Lanzillotta fino alla ripresa ai primi di settembre, è meglio».

«Perché è meglio?».

«Perché ha avuto tutto il tempo di pensare a come regolarsi».

Dal giudice

Il quattro di aùsto era una di quelle mallitte jornate che macari le serpi si scantavano a nesciri dalla tana, tanto càvudo faciva. E il giudice Bellezza aviva stabilito, va a sapiri pirchì, che la riunione s'avia a tiniri alle dù e mezza di doppopranzo. Il giudice aviva rapruto tutte e dù le finestre del sò ufficio nella spiranza di criari tanticchia di correnti, ma era peggio pirchì dalla strata trasivano vampe di foco.

«Ho ritenuto opportuno questo incontro prima del meritato, benché fuggevole, riposo per fare secoloro un esaustivo giro d'orizzonte. Anzitutto ho da dar ragguaglio a lorsignori di avere finalmente rinvenuto il referto della visita medica che ritenni doveroso disporre sul corpo del Lopardo il giorno istesso della sua traduzione dalla Stazione dei Reali Carabinieri al carcere».

Pellegriti strammò. Di questa visita medica non ne aviva sintuto mai parlari. E com'è che il giudice la tirava fora ora? Taliò a Lanzillotta che macari lui pariva sorpreso.

«Chi ha proceduto alla visita?» spiò Pellegriti.

«Si era perso macari questo responso?» spiò ironico Lanzillotta.

Le domande le ficiro in contemporanea.

«Della visita ho incaricato il dottor Sammartano» arrispunnì Bellezza.

Lanzillotta parse rilassarsi. Pellegriti lo notò e di subito accapì da quali parti pinnuliava il dottor Sammartano.

«E se solo oggi ragguaglio lorsignori, è solo perché il documento era stato erroneamente accluso ad altra pratica».

E come ti sbagliavi? Nel palazzo di giustizia era cosa cognita che le carte andavano e vinivano dotate di movimento autonomo: spirivano per misi e misi dalla scrivania di un giudice e doppo ricomparivano misteriosamente supra il tavolo di una càmmara di consiglio. Opuro, cosa più frequente, spirivano e non ricomparivano mai cchiù. Si contava che nel 1911 il ragioniere Emilio Bonaccorso era stato visto trasire nel palazzo alle novi del matino, doviva fare una testimonianza in un processo contro un mafioso. Ma nell'aula non c'era arrivato. Scomparso, mai più ritrovato. I bene informati contavano che dopo che era spirutu, per qualichi tempo i grossi sorci dell'archivio sotterraneo erano parsi ancora più grossi e stranamente socievoli.

«Che diceva la perizia?» spiò Pellegriti visto che Bellezza non aviva gana di leggerla.

«Beh, il dottor Sammartano è dell'avviso che tanto la ferita alla fronte quanto la rottura della costola siano pregresse».

«Vale a dire?».

«Vale a dire, Tenente, che il Lopardo quelle ferite

187

se le sarebbe procurate cadendo da un pontile eretto per le riparazioni a una casa una decina di giorni avanti l'aggressione».

«Ma se è stato visitato nella Stazione dell'Arma poche ore dopo l'aggressione dal dottor Ziotta che ha dovuto suturargli la ferita alla fronte!».

«Chi lo dice?» spiò provocatorio Lanzillotta.

«Il dottor Ziotta, lo dice e lo scrive!».

«E com'è che quando io mi sono recato alla Stazione dell'Arma per interrogare il Lopardo, il maresciallo Tinebra si è rifiutato di farmelo vedere? Forse perché quelle ferite sanguinanti non c'erano?».

Pellegriti scattò addritta. Giarno, rigido, scandì con voce ferma:

«Esigo le sue immediate scuse all'Arma!».

«Via, signori» fece il giudice.

Il commissario isò le dù vrazza in aria, in signo di resa.

«Va bene, va bene, domando scusa. Ma, senza voler minimamente mettere in discussione la specchiata coscienza del maresciallo Tinebra, può formularsi l'ipotesi che quelle ferite il Lopardo se le sia procurate a bella posta, macari con l'aiuto dei suoi compagni, prima di essere arrestato, in modo da poter sostenere di essere stato vittima di un'aggressione dalla quale ha dovuto difendersi».

Dunque, si disse Pellegriti, Lanzillotta aviva addeciso di nesciri allo scoperto. Doviva stare molto attento, il commissario era una vipara vilinosa.

Il giudice Bellezza preferì passare ad altro argomento.

«Devo ragguagliarvi anche che mi son pervenute le due perizie sull'arma e il proiettile».

«Due?» spiò Lanzillotta.

«Sì, una ordinata dalla parte civile e una ordinata dall'avvocato Lorusso che difende l'imputato. Il perito del tribunale di Palermo, Vittorio Cocco, all'uopo incaricato dalla parte civile, sostiene che il proiettile estratto dal cranio della vittima è del calibro medesimo dell'arma, un revolver Smith & Wesson a cinque colpi. Altresì del calibro istesso risultano essere le due cartucce inesplose nel caricatore. Non havvi dunque dubbio veruno, per il Cocco, che a sparare il proietto omicida sia stato il revolver del Lopardo. L'armiere Filippo Mammarosa, pur lui palermitano, non si perita d'affermare che è impossibile stabilire il calibro del proiettile rinvenuto nel cranio della vittima a causa della deformazione da esso proietto subita nell'impatto con l'osso. E, asserzione perlomeno stupefacente, aggiunge che i due proiettili inesplosi che trovansi nel tamburo sono di calibro diverso da quello che sarebbe proprio all'arma. Conclude sostenendo drasticamente che l'arma del Lopardo non è a canna rigata, mentre il proiettile, ancorché deformato, reca evidenti tracce di rigatura. In parole brevi, il revolver del Lopardo non ha sparato quel proiettile».

«Copia conforme all'anonima perizia che le è stata fatta pervenire coi reperti» sorrise furbastro Lanzillotta.

«A proposito» fece Bellezza taliandolo «la sua indagine ha fatto passi avanti?».

«Quale indagine?».

«Quella sulla sparizione dei reperti».

«Ah, quella!».

Fece una pausa, doppo disse a mezza voce:

«Forse il tenente Pellegriti ne sa più di me, dato che si è messo a indagare per conto suo».

«Io?!» fece sbalordito il tenente.

«Mi risulta» continuò Lanzillotta con un surriseddru sfottente «che lei ha convocato nella Stazione dei Carabinieri il signor Scibetta, segretario della sezione comunista. Non era a proposito dei reperti che l'ha convocato?».

Allura era guerra dichiarata e senza esclusione di colpi? Invece d'arraggiarsi, Pellegriti si sintì di colpo sireno e tranquillo, era il modo sò di reagire alle situazioni perigliose.

«Sì, mi sono incontrato con questo Scibetta. Su sua richiesta. E per una faccenda che riguardava l'indagine in corso, ma non la sparizione dei reperti».

Lanzillotta s'inquartò: spirava in una reazione violenta, come prima, invece la calma quasi sorridente di Pellegriti lo squietò. Non voliva più fare domande in proposito, aviva la sinsazioni di essersi messo dintra a una trappola con le sò stisse parole.

Fu il giudice a spiare.

«Signor Tenente, vorrebbe esser così gentile da riferire a me l'argomento del quale lo Scibetta venne a parlarle?».

«Certamente, signor giudice. Venne a dirmi che almeno una testimonianza contro il Lopardo era sicuramente falsa».

«Quale testimonianza?» spiò il giudice.

Il commissario non sciatò, attentissimo, l'occhi a fissura.

«Quella dell'avvocato Impiduglia».

Stavolta a scattare addritta fu Lanzillotta. Per il càvudo e per la raggia, la faccia gli era addivintata viola.

Con la sò susuta e con le sò parole, la temperatura della càmmara acchianò, raggiungì gradi equatoriali.

«Non le permetto! Non permetto che quella testimonianza, frutto di una dolorosa... di un terribile... insomma, l'avvocato Impiduglia è, da sempre, politicamente, d'idee socialiste! È un compagno di Lopardo! Ha testimoniato per amore di verità e per scrupolo di persona onesta, e gli è costato assai andare contro qualcuno che ha la sua stessa fede politica!».

«Matre santa!» si disse Pellegriti.

Lanzillotta aviva perfino usato le stisse 'ntifiche parole di Tinebra!

«E quali argomenti ha portato lo Scibetta avverso alla testimonianza dell'Impiduglia?» spiò Bellezza.

«Mi ha detto che l'avvocato, contrariamente a quanto ha affermato, quella domenica non andò nella sua villa di campagna, ma si recò a trovare la sua amante a Raccuia. E quindi né all'andata né al ritorno passò da via del lavatoio come invece sostiene d'avere fatto».

«Ma perché avrebbe testimoniato il falso?».

«Francamente, lo Scibetta mi ha raccontato una storia che... Insomma, pare che l'avvocato abbia dovuto soggiacere a un ricatto...».

«Ah, sì? Ricatto di che genere?».

«Mah... pare che qualcuno l'abbia minacciato di rivelare alla moglie la sua tresca se lui non faceva quella testimonianza».

«Ha fatto il nome del ricattatore?» spiò ancora il giudice.

Pellegriti fici finta di mittirisi a circari nella sò memoria.

«Ha portato prove?».

A spiare era stato Lanzillotta, sempre cchiù viola.

«No. Nessuna. Ed è per questo che io ancora non mi sono mosso».

Pellegriti disse quell'ancora con l'occhi fissi supra a quelli di Lanzillotta.

E si capero.

Solo il giudice Bellezza non capì.

Passaro ancora dù ore a parlari. In definitiva, quattro perizie, diciotto testimoni a favuri di Lopardo, vintitri contro.

«Ci rivediamo qua il cinque settembre» disse il giudice.

E aggiunse:

«Bisognerà che lorsignori chiudano le indagini entro la fine dello stesso mese. Si rendano conto che mi occorreranno almeno altri trenta giorni per motivare acconciamente il rinvio a giudizio».

Invece

Invece le cose andarono diversamente.

Data la situazioni tisa del paìsi, che non passava jorno senza che c'erano botti e lignati tra fascisti e nazionalisti da un lato e socialisti e comunisti dall'altro, il Prefetto non s'era potuto pigliari vacanza. E, a malgrado delle sò insistenze, manco sò mogliere era voluta andare a trovari i genitori a Venezia. Cosa che aviva fatto incupari ancora di cchiù a Sua Eccellenza, evidentemente Luisa voliva continuari a incontrarsi col sò amante, il Questore, che macari lui era stato obbligato a non cataminarsi.

Senonché una matina il Prefetto, in mutanne, aviva sorpreso a Luisa che, in bagno, s'asciucava le lagrime. Doppo molte insistenze, in un tirrimoto di singhiozzi, Luisa fece un nome: Beniamino Lopopolo.

Lopopolo? Il vicequestore?

Sissignore, proprio lui. A lei, Luisa, Beniamino era parso spiritoso, intelligente, colto e qualche volta s'erano anco visti de straforo, ma sempre si erano parlati con creanza, lui non le aveva toccà gnanca un deo d'una man... Beniamino aveva capito subito che lei era una muggier onorata e fedele. D'altra parte lui, so mario, che se ne stava tutto il giorno in ufficio a sfadigar co fa un can e lei che aveva bisogno... Poi la faccenda era arrivata alle orecchie del Questore...

«Tu lo sai, caro, com'è fatto Munafò! Rigido! Intransigente!».

E aveva fatto trasferire su due piedi il povero Beniamino ch'era senza colpa alcuna! Per questo lei piangeva: d'esser stata la causa della punizione di un innocente!

Il Prefetto, che sapiva del trasferimento del Lopopolo, ma non ne acconosceva la causa, si sintì commuovere sino alle lagrime dalle parole della mogliere e l'abbrazzò stritta stritta. Luisa si lassò abbrazzari stritta stritta. Doppo il marito la vasò sulla vucca. E Luisa si lassò vasari sulla vucca. Appresso il marito le posò le mano sulle spalle e fece una leggera prissioni. Luisa capì e lentamente s'agginucchiò e, agginucchiannusi, gli calò le mutanne. E principiò a fari quel lavoretto che a Sua Eccellenza piaciva tanto.

Doppo dù jorni dalla riconciliazioni, il Questore Attilio Munafò si recò in Prefettura. Propio sulle scale, incontrò la signora Luisa che scinniva. Si fermò il tempo di vasarle la mano e murmuriarle:

«Se l'è bevuta la storia di Lopopolo?».

«Sì».

«Allora quando ci vediamo?».

«Oggi alle tre, al solito».

Perciò il Questore non si ammaravigliò dell'accoglienza che gli fece Sua Eccellenza.

«Carissimo! Che piacere! Qual buon vento?».

Il vento non era buono, precisò subito Munafò. E gli spiegò come qualmente il dottor Lanzillotta, funzionario valente, intelligente, il miglior capo di squadra politica esistente in tutta la Sicilia, gli aviva domandato di essere esonerato dalle indagini sul delitto Grattuso. Per totale, assoluta, insanabile divergenza d'idee col tenente Pellegriti. Questa divergenza minacciava di paralizzare l'indagine. Decidesse Sua Eccellenza come risolvere la delicata questione.

«Lei dice che sarebbe meglio affidare le indagini al solo Lanzillotta?».

«Non mi permetterei mai di darle un qualsiasi suggerimento, Eccellenza! Però c'è un dato di fatto incontrovertibile: il delitto Grattuso è un delitto politico. Lanzillotta sa come muoversi nei meandri politici, ha una lunghissima esperienza. Il tenente Pellegriti ne ha altrettanta?».

«Le farò sapere in giornata» disse il Prefetto.

L'accompagnò sino alla porta, gli strinse forte la mano, gli murmuriò:

«Grazie».

«Di che?» spiò il Questore fingendosi stupito.

«Per il trasferimento di Lopopolo».

«Era mio dovere» disse asciutto il Questore.

E capì che l'aviva avuta vinta. Lanzillotta era a cavaddru.

La matina del 4 settembre Pellegriti, rientrato da Ragusa, era appena trasuto nella sò càmmara al Comando provinciale che alla porta tuppiò un appuntato.

«Il signor Colonnello la vuole vedere immediatamente».

Il tenente si precipitò dal comandante Brindisino.

«Bentornato, tenente. Le comunico che, per disposizione prefettizia, delle indagini sul delitto Grattuso si occuperà, d'ora in avanti, solamente la Regia Questura. Non perché lei abbia demeritato, anzi, Sua Eccellenza è stato veramente generoso di elogi nei suoi riguardi, ma solo per dare, come dire, un impulso univoco alle indagini. Una rottura di coglioni in meno. Chiaro?» sparò quello tutto d'una tirata con facci d'assassino.

«Chiarissimo, signor Colonnello».

Nella matinata stissa Pellegriti passò dalla Stazione.

«Ci hanno levato l'indagine» disse scunsulato a Tinebra.

«Lo sapevo da una simanata» fece il maresciallo.

«Perché non me l'ha scritto?».

«Perché dovevo rovinarle la licenza?».

«Senta» disse il tenente «sa se Lanzillotta continuerà le indagini nell'ufficio in Prefettura?».

«Ma quando mai! Ha fatto trasferire tutte le carte in Questura».

«Quindi le mie carte sono ancora nell'armadio della Prefettura».

«Certamente».

«Allora» fece Pellegriti cavando dalla sacchetta una chiave «questa apre l'armadio. Mandi uno dei suoi uomini a ritirare tutte le mie cose e le conservi qui. È parecchia roba, ci sono le copie di tutte le dichiarazioni, le testimonianze, gli interrogatori».

«Qua c'è spazio» disse il maresciallo.

Le indagini, come voliva Bellezza, finirono il 30 di settembre. Il 7 di novembre il giudice istruttore presentò le sue conclusioni. Il 17 gennaio 1922 la Corte d'Appello di Palermo, che era competente per il territorio, rinviò a giudizio, presso la Corte d'Assise della città, Michele Lopardo per rispondere dell'accusa di omicidio volontario.

Frattanto

TUMULTI NELLA RICORRENZA DELL'ASSASSINIO
DI LILLINO GRATTUSO

Ieri, nel primo anniversario della barbara uccisione del diciottenne Lillino Grattuso, centinaia di fascisti sono arrivati in città non solo dai paesi vicini, ma anche da altri capoluoghi di provincia, percorrendo le strade agli inni di «Allarmi siam fascisti! Terror dei comunisti» e di «Giovinezza, giovinezza». Qua e là sono scoppiati inevitabili incidenti con cittadini che si rifiutavano di togliersi il copricapo al loro passaggio. Il Circolo dei ferrovieri, nonostante fosse presidiato da guardie di p.s., è stato devastato.

All'ora di pranzo, un nutrito gruppo di fascisti locali e forestieri recavasi presso l'osteria di Santa Pitronilla, locale che è stato al centro delle indagini sull'assassinio del Grattuso.

Qui, dopo aver mangiato e bevuto, il gruppo dei fascisti si rifiutava di pagare il conto. Alle proteste del proprietario, signor Paolo Pecorella, i fascisti, che non è stato possibile identificare malgrado le pronte indagini svolte dal commissario capo della Squadra politica, dottor Lanzillotta, sfasciavano il locale sistematicamente, manganellando il suddetto Pecorella e obbligandolo a bere una buona dose d'olio di ricino.

Il Pecorella, ricoverato all'ospedale civico, ne avrà per una ventina di giorni. Verso le ore sedici tutti i fascisti presenti in città (si è calcolato fossero oltre trecento), in camicia nera, pugnale al fianco, labari e gagliardetti neri col teschio, si sono radunati nel piazzale antistante il carcere che era stato, in previsione di ciò che sarebbe potuto accadere, completamente circondato da reparti di Reali Carabinieri.

Dopo un discorso del barone Talè di Santo Stefano, ex fondatore della «Lega antibolscevica» poi confluita nel Partito Nazionale Fascista della cui sezione locale lo stesso Talè di Santo Stefano è stato eletto segretario, discorso acceso e di fatto incitante alla giustizia sommaria, gruppi di fascisti armati di pugnali e manganelli violentemente si scagliavano contro il cordone formato dai Reali Carabinieri nel dichiarato tentativo di penetrare all'interno del carcere

201

e d'impadronirsi dell'assassino Michele Lopardo ivi ristretto in attesa di giudizio.

In proposito, è giunta notizia che il processo è stato iscritto a ruolo per il 14 novembre 1924! Ora siamo a domandarci: perché tempi sì lunghi per la Giustizia? A chi giova mantenere uno stato di tensione? Domande senza risposta.

Tornando alla cronaca, mentre si succedevano gli assalti, gli altri fascisti intanto incitavano gli assalitori con grida di «A morte Lopardo!» e di «A chi Lopardo? A noi!».

Dopo due ore circa di vani assalti, l'assedio al carcere terminava. Sette militari dell'Arma sono rimasti contusi o feriti.

I fascisti allora si dirigevano in corteo al camposanto dove il barone Talè di Santo Stefano deponeva una grande corona di fiori sulla tomba di Lillino Grattuso sormontata, per l'occasione, da un enorme Fascio littorio. Il nastro della corona era tricolore, listato di nero, e a caratteri dorati vi erano scritte queste parole: «Al Martire Lillino Grattuso, i fascisti siciliani».

Scioltosi il corteo, i fascisti forestieri ripartivano, quelli locali tornavano alle loro case.

Cinque persone, ritenute dai fascisti come socialisti o comunisti, sono state manganellate e costrette a bere olio di ricino. Non ne comunichiamo i nomi per evidenti ragioni d'opportunità.

Una decina le vetrine che risultano fracassate.

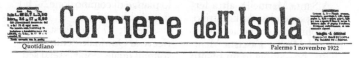

Corriere dell'Isola

Quotidiano — Palermo 1 novembre 1922

LE SQUADRE FASCISTE
SFILANO A ROMA

Siamo finalmente in grado di fare ai nostri lettori la cronaca di queste ultime febbrili giornate. Come tutti i giornali hanno riportato, dopo il saggio e illuminato rifiuto di firmare lo stato d'assedio sottopostogli dal Presidente del Consiglio dei ministri, on. Facta, Sua Maestà il Re Vittorio Emanuele III, accettate le dimissioni del Gabinetto presieduto dallo stesso on. Facta, inviava a Milano, all'on. Benito Mussolini, un telegramma, in data 29 ottobre, che lo convocava al Quirinale. Mentre un gioioso tripudio scoppiava in tutta Italia alla notizia della convocazione, le migliaia e migliaia di camicie nere e di Combattenti che da tutto il Paese avevano marciato su Roma stringendola in un ferreo assedio, potevano una qualche ora di riposo finalmente concedersi. Benito Mussolini, dopo un primo progetto di arrivare a Roma in aeroplano, decideva di prendere il treno delle 20, 30 e di viaggiare in sleeping-car. Al suo arrivo, la Stazione centrale di Milano era gremita di camicie nere e di fascisti che gli tributavano una solenne e prolungata ovazione tra canti e grida. A Mussolini si avvicinava rispettosamente il capotreno chiedendogli se avesse ordini da dare. Lapidariamente, com'è suo costume, Mussolini replicava: «Uno solo: partire in orario!».

E infatti il Direttissimo 17 si è mosso puntualissimo alle 20, 30, mentre la folla intonava «Giovinezza» e Mussolini, dal finestrino, salutava romanamente. Ma il treno ha dovuto nuovamente fermarsi, la folla in vero delirio si stringeva e premeva contro le carrozze e la stessa locomotiva. Mussolini, riapparso al finestrino, mettevasi a inviare baci alle camicie nere. Finalmente il treno partiva, ma doveva fare diverse fermate non previste perché manifestanti in camicia nera invadevano i binari per rivolgere al loro Capo un appassionato saluto.

A Civitavecchia lo accolgono, nel più religioso silenzio, le squadre fasciste che partecipano alla marcia su Roma e Mussolini volge, anche lui in silenzio, il suo sguardo napoleonico sull'imponente parata delle truppe.

A Santa Marinella, altra fermata. Sporgendosi dal finestrino, Mussolini stringe la mano al Padre del Martire Fascista Menichetti che scoppia in un pianto dirotto. Quindi il Menichetti, intravisto il vecchio macchinista Caglieri che ha portato il treno delle camicie nere, gli si avvicina e gli dice: «Baci questa mano, cavaliere Caglieri!». «Perché dovrei?» domanda il macchinista, vecchio e indomito fascista. «Perché ha stretto quella di Mussolini». E allora il Caglieri bacia quella mano e abbraccia il Menichetti. Alla Stazione di Roma la folla è immensa, il Direttissimo 17 quasi viene sommerso. Ad accoglierlo c'è l'81° Reggimento di fanteria. Mussolini saluta romanamente il colonnello comandante. Il colonnello, commosso, gli rivolge qualche impacciata parola di benvenuto. Allora il Grande Mutilato di guerra Pietro De Scalzi grida a Mussolini: «Abbraccialo! Non lo vedi che il colonnel-lo piange di commozione?». E i due si abbracciano.

Alle 11, 30 Sua Maestà il Re riceve al Quirinale Benito Mussolini il quale, dopo essersi scusato di doversi presentare all'incontro con i pantaloni grigio-verde da militare, i gambali e la camicia nera, «perché reduce dalla battaglia fortunatamente incruenta che si è dovuta impegnare», pronuncia queste parole che certamente resteranno incise a lettere d'oro nel grande libro della Storia: «Porto a Vostra Maestà l'Italia di Vittorio Veneto riconsacrata dalla nuova Vittoria e sono il fedele servitore di Vostra Maestà». Sua Maestà il Re gli dava immediatamente l'incarico di formare il nuovo Governo.

L'indomani le squadre fasciste, pacificamente entrate a Roma e accolte dovunque con battimani, fiori e manifestazioni di gioia, hanno sfilato ordinatamente per ben sei ore sotto il balcone del Quirinale.

RICEVIAMO E VOLENTIERI PUBBLICHIAMO

Gentile Direttore, da diversi giorni girano in città voci a dir poco malevole circa la mancata partecipazione del reparto di camicie nere da me comandato alla gloriosa Marcia su Roma. Si è arrivati addirittura a insinuare che io avrei partecipato alla Marcia standomene comodamente negli agi di una villa di Taormina!

Al fine di chiarire definitivamente ogni cosa le invio questa precisazione. Siamo partiti in numero di 75 camicie nere alla volta di Messina su alcuni camion 18 bl che erano stati impiegati al fronte durante la Grande Guerra a voler in tutto simboleggiare la continuità tra il Combattentismo e il Fascismo. Senonché, poco prima di arrivare a Messina, uno dei 18 bl si rovesciava a una curva e tre camicie nere seriamente si ferivano. Malgrado le loro proteste, perché eran decisi a proseguire il viaggio seppur in condizioni fisiche precarie, li accompagnavamo all'ospedale di Messina. Quando finalmente arrivavamo in porto, il ferry boat era già partito, il successivo ci sa-

rebbe stato solo la mattina seguente alle 6, 30. Allora allestivamo un bivacco per trascorrere la notte. Insonne, io mi rendevo conto che intanto il tempo andava cangiando in peggio. All'alba, vedevansi al largo alte ondate. Ci veniva quindi comunicato che il ferry boat non sarebbe partito date le proibitive condizioni del tempo. Alle ore sedici del pomeriggio ci veniva detto di raggiungere la nave che avrebbe tentato la traversata. Ma quando facevamo per salire, il comandante ci faceva presente che non avrebbe potuto caricare i nostri 18 bl essendo già il ferry boat troppo pieno. A questo punto decidevamo d'imbarcarci ugualmente, abbandonando i nostri camions. Finalmente salimmo a bordo, ma solo allora mi resi conto di avere lasciato i miei effetti personali nel 18 bl sul quale avevo viaggiato. Sotto una pioggia dirotta, scendevo di corsa dalla nave, riuscivo a recuperare i miei effetti ma, quando tornavo per imbarcarmi, il ferry boat aveva già chiuso il portellone e ritirata la scaletta d'imbarco. Pensavo allora di ricorrere a un qualche pescatore che potesse traghettarmi con la sua barca, ma nella concitazione del momento mi procuravo una storta al piede destro che mi impediva la deambulazione.

Fortunatamente m'imbattevo in mia cugina, la squisita marchesa Anna Filippa di Portobello, giovane Vedova di guerra di una Medaglia d'argento, la quale per qualche giorno mi ospitava nella sua villa di Taormina dove ancora mi trovo in attesa di rimettermi. La ringrazio per la pubblicazione e la saluto romanamente.

Barone Talè di Santo Stefano

Il parrino e il carzarato

Macari quella prima duminica di dicembri, alle sei del matino, don Libirtino Sclàfani accomenzò a tuppiare darrè a ogni porta di cella mentre la guardia carzararia sinni stava dù passi narrè col mazzo di chiavi nella mano.

«Don Libirtino sono. C'è qualichiduno che ha bisogno?».

A sicunno della risposta, don Libirtino o faciva 'nzinga alla guardia di raprire la porta, trasiva e cunfissava il carzarato opuro tirava di longo e andava a tuppiare alla cella appresso. Quanno aviva finuto il giro, quelli che si erano confissati potivano nesciri dalla cella e scinniri nella cappella indovi don Libirtino diciva la santa missa.

Perciò tuppiò macari alla porta della cella 321, che era risirbata a un solo carzarato.

«Don Libertino sono».

«Non ho bisogno, grazie» fece la voci di Michele Lopardo.

Mai una volta che aviva arrisposto diverso. E la guardia carzararia stava per ripigliare a caminare quanno vitti il parrino che ristava fermo darrè la porta, la vucca allo spioncino.

«Sono io che ho bisogno» disse in un soffio don Libirtino. «Posso trasire?».

«Trasisse».

Il parrino fece 'nzinga alla guardia e quella, strammata, principiò a raprire la porta. Non aviva sintuto le parole che don Libirtino aviva murmuriato e perciò s'addumannava se per caso quel fituso comunista senza Dio non si era cunvirtuto durante la nuttata. Gli era cumparso lo spirito santo? E si putacaso lo spirito santo, che s'appresentava sempre come palumma, pigliava il volo e quella minchia di comunista, tornato a essiri privo di la grazia di lu Signuruzzu, ammazzava il parrino? S'appriocccupò.

«Voli che traso con vossia? Quello è piricoloso».

«No».

«Lasso la porta aperta e iu mi ci mettu davanti?».

«No».

La porta venne rapruta e don Libirtino trasì ma non si cataminò fino a quanno non sentì la rumorata della porta che si richiudeva alle sò spalli.

Michele si era susuto dal pagliuni e lo taliava.

«Ti saluto, Michè».

«Ti saluto, Libirtì».

Compagni di scola alle scole vascie erano stati. Doppo Libirtino era andato in seminario e non si erano cchiù visti. Quanno Michele era tornato dalla guerra, don Libirtino era addivintato cappellano del càrzaro. E in paìsi avivano avuto modo d'incontrarsi e di scontrarsi pirchì patre Libirtino non solo era un seguace appassionato di don Luigi Sturzo, ma era l'anima della sezione locale del «pipì», com'era chiamato il partito popolare.

«Hai la facci giarna comu un mortu» disse don Libirtino. «Non ti fanno pigliare sole all'ora d'aria?».

«Non è la mancanza di suli, è la mancanza di sonno».

«Non dormi?».

«Non ci arrinescio, non arrinescio a pigliari sonno».

Si taliarono in silenzio, occhi nell'occhi.

«Iu non lo voliva ammazzari» disse Michele.

«E io ti cridu» disse il parrino.

S'assittarono sul pagliuni.

«Pirchì dici che hai bisogno di mia?» spiò Michele.

«Pirchì vogliu sfogarimi con uno ca mi capisce. Tri minuti e doppo minni vado. Lo sai che Mussolini ha fatto il novo governo?».

«Sì. Me lo disse 'na guardia. E disse macari che questo governu era comu un coperchio di ferru supra 'u mè tabbuto».

«È un coperchio di ferro, sì. E non solo supra 'u tò tabbuto. Lo sai con chi ha fatto il governo Mussolini, a parte i fascisti?».

«No».

«Coi liberali, i democratici e i popolari».

«E ti meravigli?».

«Dei popolari sì, pirchì don Sturzo era stato chiaru: nessun appoggio ai fascisti. E invece 'na poco di curnuti e traditura, Cavazzoni, Gronchi, Tangorra, si sono precipitati a trasiri nel governo. E la voi sapiri una cosa? Questi finiranno per metterlo in quel posto a don Sturzo».

Michele tentò di fari un surriseddru, ma gli niscì fora una smorfia.

«Non ti preoccupari, Libirtì. Appena ca Mussolini non avi cchiù bisogno, saranno loro a pigliarselo in quel posto. E doppo, jorno appresso jorno, tutta l'Italia si troverà inculata».

UNA NOTA DELLA STEFANI

Una nota dell'Agenzia Stefani in data odierna, 24 aprile 1923, informa che S. E. Mussolini, a seguito del congresso di Torino del Partito popolare Italiano nel corso del quale don Luigi Sturzo ha pronunziato un discorso definito dal «Popolo d'Italia», organo del Partito Nazionale Fascista, come «il discorso di un nemico», ha convocato i ministri popolari Cavazzoni e Tangorra chiedendo, e subito ottenendo, le loro dimissioni. Con i due ministri si sono dimessi anche i quattro sottosegretari dello stesso partito Gronchi, Merlin, Milani e Vassallo.

Consiglio dei professori

«Care colleghe e cari colleghi» dice il preside Liotta quanno tutti i professura hanno finito d'assistimarsi sulle seggie «prego il signor segretario verbalizzante di mettere nella dovuta evidenza che questo consiglio straordinario è stato da me convocato in data 24 aprile 1923, giorno nel quale cade il secondo anniversario della barbara uccisione del nostro ex allievo Lillino Grattuso».

Si susi addritta e i professura si susino macari loro con una gran rumorata di seggie smosse.

«Un minuto di raccoglimento per il Martire» dice il preside calanno la testa a taliare il piano del tavolo, che viene a significari che si è raccolto in meditazione.

In quel minuto di raccoglimento per il Martire, Liotta pensa che forse ce la farà a fare scordare a tutti che lui è stato per un certo periodo dalla parte dei popolari e che arrinescirà perciò a mantiniri il posto.

In quel minuto di raccoglimento per il Martire, il professore Cusumano di latino e greco pensa che gli restano in sacchetta centesimi quinnici e come minchia farà ad arrivari a jorno vintisetti?

In quel minuto di raccoglimento per il Martire, la professoressa Martino di matematica e fisica pensa a quella volta che Lillino, non ancora martire, ma semplice studente farabutto, le tirò dritto in faccia un calamaro pieno mancandola di un centimetro.

In quel minuto di raccoglimento per il Martire, il professore Mattalìa di storia e filosofia pensa che forse quella sira la zita Annalisa s'addeciderà a dargliela.

In quel minuto di raccoglimento per il Martire, il professore La Stella di scienze naturali arrinesci a non pinsari al Martire pirchì se ci pinsasse lo manderebbe a fari 'n culu morto sparato com'è, lui e tutti i fascisti con Mussolini in testa. E non sarebbe pinsero da cristianu.

In quel minuto di raccoglimento per il Martire, il professore Jacolino d'italiano pensa ai primi dù versi di un carme che voli dedicare al Martire:

«Giovine ardito come fu Balilla / non il sasso scagliasti, ma la vita...». E forse arrinescirà a fottere a quel gran cornuto di Liotta, che è stato popolare, non scordiamocelo, e ad addivintari preside lui.

«Possiamo accomodarci» dice Liotta.

Quanno l'eco della rumorata di seggie s'astuta, ripiglia a parlari.

«Vi ho convocati perché voglio sottoporvi una proposta che, ne son certo, riscuoterà l'unanime plauso. Questo nostro istituto porta da sempre un nome glorioso, quello di Archimede. Ma ritengo che sia arrivata l'ora di un cambiamento, anzi, di un adeguamento a quel grande cambiamento che il fascismo farà in Italia.

«La mia proposta perciò è di intitolare questo istituto al Martire Fascista Lillino Grattuso, che questo istituto onorò con la sua presenza quale studente.

«Metto la proposta in discussione».

Di colpo, la profissoressa Martino si metti a chiangiri. Rapri la borsetta, tira fora un fazzoletto, ci affunna la faccia. Tutti la taliano. Pirchì tutti sanno che il marito della Martino teni all'albergo la sò amanti, una ballerinazza d'operetta. Vuoi vidiri che la Martino ha scoperto la facenna?

«Signora, c'è cosa?» spia il preside.

La professoressa scote la testa, dice tra i singhiozzi:

«No. È che lei, signor preside... ecco, mi ha fatto tornare a mente un fatto che capitò in classe...».

«Dica, dica» la incoraggia il preside.

«Ecco... un compagno di Lillino mi tirò contro un calamaio...».

«Ma quando è capitato?».

«Quando Lillino frequentò l'ultimo anno».

«Non mi ricordo questo episodio» dice il preside. «Lei non me ne ha parlato mai».

«E infatti, signor preside. Finita la lezione stavo per venire da lei quando Lillino mi si parò davanti. Teneva per un braccio il colpevole. "Domanda perdono alla professoressa", disse al compagno con voce severa. E quello mi chiese perdono. Lillino lo lasciò andare e mi pregò di non far cenno con lei dell'episodio. Ecco perché...».

Una nova botta di lagrime le impedisce di andare avanti.

«Buono era, e generoso e pugnace per ogni giusta causa. La sua proposta, signor preside, è dunque apprezzabile e doverosa, ancorché leggermente tardiva» dice il professor Jacolino.

«E lei professor Mattalìa?».

Il profissuri, che era arrivato col pinsero al momento nel quale era finalmente arrinisciuto a far calare le mutanne ad Annalisa, non è pronto a staccarsi da quello che la fantasia gli sta facenno vidiri:

«Che meraviglia!» esclama.

«In che senso?» spia il preside tanticchia strammato.

L'espressione e soprattutto la faccia di Mattalìa non gli parino appropriate.

«Nel senso che era uno studente meraviglioso» si corregge Mattalìa con un certo sforzo.

«E lei professor Cusumano?».

«Difficilmente questo istituto avrà altri studenti come lui».

«Professor La Stella?».

«Mi associo».

«Allora, signor segretario verbalizzi che la mia proposta è stata accolta all'unanimità per acclamazione».

NELL'ANNIVERSARIO DEL MARTIRIO DI LILLINO

Ieri, 24 aprile, nel secondo anniversario del Martirio di Lillino Grattuso, si è svolta in città una solenne cerimonia in memoria del generoso giovine stroncato da comunista mano omicida. Centinaia e centinaia di fascisti giunti da tutte le province dell'Isola, numerose scolaresche, umili operai e contadini, impiegati, donne di casa, combattenti, reduci, si sono ammassati in piazza con gagliardetti, labari e bandiere. Ha preso per primo la parola il barone Talè di Santo Stefano, segretario provinciale del PNF, il quale ha esordito ricordando che la parola d'ordine che S. E. Benito Mussolini ha dato al popolo italiano è una sola:

Disciplina!

E perciò ha dichiarato che nel suo breve discorso non ci sarebbero state parole di vendetta, ma solo un composto richiamo alle maschie virtù del Martire e una commossa memoria di quello che Egli seppe essere in vita, modello insuperabile di Amor patrio, di generoso ardire, di alta, suprema dedizione alla Causa fascista.

Al termine dell'alata orazione decine tra gli ascoltatori, uomini e donne, non hanno saputo trattenere le lacrime. Poscia ha parlato Arcangelo Lopane, nuovo commissario prefettizio dopo le dimissioni della giunta socialista, il quale ha annunziato, tra indescrivibili acclamazioni della folla, che via Arco Arena si chiamerà via Lillino Grattuso Martire Fascista. Quindi, dopo essersi recato al cimitero per deporre una corona di fiori sulla tomba del Martire, il corteo si è ordinatamente sciolto.

A futura memoria

Tutti i giri di saluto che doviva fari l'ha fatti, il baulle è stato spedito, le baligie se l'è portate appresso dù jorni avanti sò mogliere Pippina aiutata dal figlio Nirìa che si è pigliato tanticchia di pirmisso per dari una mano nel trasloco.

Dal 20 innaro 1924, vale a dire dal jorno prima, il maresciallo dei carrabinera Tinebra è addivintato il pinsionato Tinebra, ex maresciallo dell'Arma. A Catenella, il paìsi dov'è nato e indovi ora torna, andrà ad abitare nella casa che era di sò patre, casa che havi torno torno dù sarme di terra bona, e a lui sempre ci è piaciuto aviri a chiffari con la terra, azzappari, siminari, innistari. Certo, quella matina del 21 innaro, quanno s'arrisbiglia nella casa vacanti e fridda, senza la voci della mogliere che dalla cucina dice: «U cafè è prontu» prova una specie di chiurito in fondo alla gola, propio nel cannarozzo, anzi non è propiamente chiurito, ma una specie di tappo piluso che gli si è messo là all'improviso e gli impedisce d'agliuttiri la sputazza. Sa bene di cosa si tratta, è una cosa che gli è già capitata in passato, quanno morse sò patre e quanno gli ammazzarono a Decu Tallarita, un carrabineri che era addivintato come sò frati, mentre gli stava allato in uno scontro a foco con una banda di briganti.

Si susi, si lava con l'acqua gelida, si vesti in borgisi, e d'altra parte, ora che è in pinsioni la divisa non gli spetta cchiù, nesci. Fora fa friddo, il cielo è nìvuro. Camina a passo quasi di cursa, tanticchia pirchì accussì il sangue gira e fa calore e tanticchia pirchì non gli piace fare nasciri la sparla di qualichiduno che lo vidi a quell'ora di prima matina e macari si piglia di curiosità.

Appena imbocca la via Arco Arena, ora via Lillino Grattuso Martire Fascista, vidi la carrozza di don Lollò ferma davanti al civico cinco, come si erano accordati la sira avanti. Fa per trasire nel purtuni, ma lo ferma la voci di don Lollò che è già a cassetta.

«A signura ccà è».

Allura rapri la portiera della carrozza e acchiana. La signura Assunta è assistimata in un angolo completamente cummigliata da una coperta pisanti.

«M'aiutò mè niputi Nunzia».

Per arrivari a Spagliara ci voli un'ora e mezza bona. Quasi subito la vidova Callarè, doppo che la testa le ha capuzziato avanti e narrè, sprufunna, cullata dal movimento della carrozza, in uno di quei sonni che manco le campane. L'ex maresciallo invece si perde darrè i sò pinseri.

Via via che la jornata acchiana, 'u tempu accomenza a schiarire e quanno arrivano a Spagliara c'è persino tanticchia di suli. La carrozza si è fermata davanti a una villa lussuosa con un granni jardino che s'attrova propio alla trasuta del paìsi.

Tinebra aiuta la signura Assunta a scinniri, la piglia suttavrazzo, allato al cancello c'è una targa sparluccicante con supra scritto:

«A. Todaro - Notaio».

Veni a raprire la porta un omo sicco e decrepito, non si capisce se cammareri o scritturali. Fa una facci ammaravigliata come se non avissi vistu mà a dù pirsone in carni e ossa, ma devi essiri forse un modo di taliare di natura.

«Sono il maresciallo Tinebra. Il notaio m'aspetta».

Il decrepito li fa trasire, li precede in un corridoio, tuppia a una porta di ligno massiccio, con la maniglia addorata.

«Avanti!».

Il decrepito rapre tanticchia la porta, metti la testa dintra, murmuria qualichi cosa, doppo rapre la porta completamente e fa 'nzinga a Tinebra di passari.

Il notaro Todaro, appena li vidi trasiri suttavrazzo, non si tiene:

«Siete venuti a celebrare un matrimonio?».

«La signora è cieca» dice brusco Tinebra.

Il notaro cangia atteggiamento di colpo, si susi, piglia lui suttavrazzo la vidova, la fa assittare su una seggia dallo schinale altissimo che è davanti al tavolo cummigliato di carte. Doppo fa 'nzinga a Tinebra d'assittarsi macari lui. Quindi spia:

«In cosa posso esservi utile?».

«La signora qui presente intende fare una dichiarazione a futura memoria che lei, signor notaio, conserverà e che potrà essere riconsegnata solo nelle mie mani quando ne farò richiesta».

Il notaio li talia a tutti e dù tanticchia strammato, appresso piglia carta e pinna.

LA COMMEMORAZIONE DEL MARTIRE GRATTUSO

Ieri, 24 aprile, si è svolta in città una grande manifestazione nel terzo anniversario dell'eroica morte del Martire Lillino Grattuso, vigliaccamente privato della vita da mano comunista.

Come ormai è consuetudine, grandissima è stata la commossa partecipazione di tutta la cittadinanza, ma è da rilevare che in questa occasione l'afflusso di fascisti dalle altre province è stato più consistente del solito. La piazza infatti non è stata in grado di contenere tutti i partecipanti che hanno trovato posto nelle vie adiacenti.

Ha preso la parola il barone Federico Talè di Santo Stefano, segretario provinciale del Partito Nazionale Fascista nonché recentemente assurto all'alto onore di potersi fregiare del titolo di «Moschettiere del Duce», il quale ha subito voluto ricordare come quella manifestazione venisse ad assumere un significato particolare dopo la strepitosa vittoria elettorale del Fascismo, la maggioranza assoluta decretata dal popolo italiano chiamato alle urne il 6 di questo stesso mese.

Un momento d'intensa com-mozione c'è stato quando al barone Talè di Santo Stefano, nel pronunciare la frase «più l'Ideale fascista avanza, più sento la mancanza di Lillino al mio fianco», per un attimo la voce si è incrinata. Poscia ha ripreso con voce più maschia che pria.

Alla fine del suo discorso, frequentemente interrotto da caldi e scroscianti applausi, l'oratore ha ricordato che nei primissimi giorni di maggio S. E. Benito Mussolini onorerà della sua presenza la vicina città di Caltagirone. Per l'occasione saranno apprestate corse straordinarie di treni e corriere per permettere a tutti di raggiungere Caltagirone e dimostrare al Capo del Governo come sappia battere di gioia il cuore ardente dei Fascisti siciliani.

Dopo di lui ha parlato il commissario prefettizio Arcangelo Lopane il quale ha voluto comunicare ai cittadini plaudenti la costituzione di un comitato per l'erigendo monumento al Martire Lillino Grattuso.

Quindi si è formato un immenso corteo diretto al cimitero. Ma data l'enorme folla, l'accesso è stato possibile solo ai Famigliari e alle Autorità. Qui, a riceverli, c'era S. E. Emilio Pellegrino, Vescovo della Diocesi, che in mattinata aveva nella cattedrale celebrato una Messa solenne in suffragio dell'Anima del Martire.

Sul nastro della corona che è stata deposta sulla tomba c'era scritto: «A Lillino, Martire dell'Idea che ha vinto».

La manifestazione si è conclusa con un grandioso «Alalà» dei partecipanti in risposta al saluto «E per Benito Mussolini, eja, eja, eja», gridato dal barone Talè di Santo Stefano.

Fondazione di Mussolinia

Preparativi per la calata

Nel maggio del 1924 il Presidente del consiglio dei ministri, Mussolini Cavalier Benito, per mità già Duce e per mità ancora no, addecide di fari una calata in Sicilia, terra che non gli fa sangue. Tra le tappe, scrive di mano sò Caltagirone. Pirchì? Pirchì il Cavaleri mai e po' mai avrebbe fatto sgarbo a un fascista calatino, Giacomo Barone, sò capo di gabinetto del ministero degli esteri, del quale il quasi Duce è titolare. A essiri picinusi, non si può fagliare di diri che Giacomo Barone, dato che si era maritato a Forlì con Camilla Paulucci de Calboli, aviva tanticchia impapocchiato le carte dello Stato civile e quindi arrisultava chiamarsi Paulucci de Calboli Barone Giacomo. Il che faciva a tutti un bellissimo effetto. Inoltre lo zio di Giacomo Barone, Francesco Barone D'Urso («un ignorante destituito d'intelligenza», scriveva di lui il commissario prefettizio Caboni), a Caltagirone, era il capo, il bosso di quella parte di fascisti (ce n'erano più di una) arrisultata la prima a forza di eleganti scontri dialettici come manganellate e càvuci 'n culo.

La notizia della calata del Cavaleri venne comunicata da Paulucci de Calboli Barone Giacomo con notevole anticipo a sò zio e al sinnaco, l'onorevole fascista Biniditto Fragapane.

E da quel momento in po' ai fascisti calatini non ci poté cchiù sonno.

Dovivano farsi vinire una grannissima alzata d'ingegno perché Mussolini avesse, di Caltagirone, imperitura memoria (ancora non era di moda l'aggettivo «immarcescibile»). E finalmenti a qualichiduno vinni in mente l'immenso bosco di querce da sughero dell'ex feudu di Santo Pietro, a qualichi chilometro fora dal pàisi, ancora proprietà demaniale: abbastava quotizzarlo e spartirlo a 2.500 famiglie di contadini. Nel jorno della visita di Mussolini le famiglie avrebbero sullennementi arricevuto, dalle Sò mano, il certificato di proprietà.

Accussì, oltretutto, si veniva a pareggiare il conto con le passate amministrazioni «democratiche» che avevano già quotizzato 'na poco di terre e i viddrani avivano fatto sciuriri macari le petre, i chiarchiari, gli sdirrupi.

Ma lo zio di Paulucci de Calboli Barone Giacomo, a sintiri la 'ntinzione dei camerati, prima sturcì la vucca e appresso proclamò a gran voce:

«Bisogna fare di più! Il fascismo non pareggia, o vince o stravince!».

E accussì le camicie nere calatinesi persero altre nottate di sonno fino a quanno l'architetto Saverio Fragapane un jorno tuppiò alla porta del cuscino onorevole Biniditto Fragapane, oltretutto sinnaco, tenendo in mano granni fogli arrutuliati.

«Un'idea mi vinni».

Era la suspirata idea vincente. Supra a quei fogli, l'architetto aviva addisegnato una città da flabbicari ai margini del bosco e capace di dari casa alle duemilacinquecento famiglie di viddrani.

Nome della «città forestale»: Mussolinia.

Il progetto, definito subito dai giornali locali «superbo e maestoso», prevedeva una granni piazza a circolo che aviva torno torno dodici torri unite da un doppio colonnato. Nelle torri si dovivano allocare la casa del fascio, il comune, la polizia, i carabinieri e tutti gli uffici pubblici. Dalla piazza si partivano le strate fiancheggiate dalle abitazioni per i contadini: casamenti lunghissimi e a un solo piano che parivano gaddrinai modello. Qua e là iardini e funtane.

Lo zio di Paulucci de Calboli Barone Giacomo s'addimostrò stavolta entusiasta del progetto, ma fici una dumanna che aggilò tutti in quanto che non venne subitaneamenti capita:

«Ma Lui, quanno arriva nel bosco, che minchia ci trova?».

«Gli àrboli» s'azzardò ad arrispunniri una camicia nera.

Lo zio di Paulucci ecc. ecc. lo furminò con una taliata maligna.

«Mi spiego meglio» disse. «Non possiamo portare il Capo del governo in una spersa radura dintra a un bosco e lì non fargli attrovare nenti di nenti. Vogliamo invitarlo a una cugliuta di funghi?».

«Ma troverà la prima pietra che dovrà mettere!» fece l'architetto.

«Non abbasta».

Pensa ca ti ripensa, vinni addeciso di fargli attrovare qualichi cosa di già costruito.

«Ma se è Lui che deve mettere la prima pietra...» tentò di resistere ancora l'architetto.

«Me ne frego» fu la fascistica risposta dello zio di Paulucci ecc. ecc.

E accussì i giornali locali annunziarono che:

Nella vasta piazza circolare, di cui sono già edificati il marciapiede di limite e due torri grezze, S. E. Benito Mussolini porrà la prima pietra il 12 maggio prossimo.

E si scatinò un virivirì di muratura, maduna, petre, quacina, lignami, camion che ivano e vinivano da Caltagirone al vosco per arrinesciri ad arrivari a tempo.

La calata

La matina dell'arrivo del Cavaleri a Catania, Giacomo Barone chiama al telefono a Federico Talè di Santo Stefano:

«Pi caso, avivatu organizzato qualichi cosa pi la visita di Mussolini a Caltagirone?».

«Certo, Giacomì. Dudici autobus e un trenu spiciali».

«Disdici tuttu».

«E pirchì?».

«Senti, Mussolini in questi jorni è nìvuru, nun sacciu pirchì. Mi ha espressamente ordinato che a Caltagirone ci devono essiri sulu i calatini e basta. Massimo massimo, puoi viniri tu e cinco o sei pirsone, ma senza gagliardetti, labari e gonfaloni comunali. Mi spiegai? Faciti finta di essiri calatini».

La selezione che Talè di Santo Stefano è costretto a fari provoca dù querele, quattro azzuffatine a pagnittuna e pugni, tri ritiri di tessere fasciste, una espulsione definitiva.

Da Catania il treno di Mussolini arriva a Caltagirone la sira dell'unnici di majo, alle setti spaccate. Chista del rispetto dell'orario dei treni è una fissa del Cavaleri oramà cognita a tutti epperciò machinisti e capistazioni non sgarrano di un secunnu.

La piazza davanti alla stazione è stipata. La banda comunale attacca «Giovinezza». Il Cavaleri saluta appena e s'infila nella secunna delle sette machine che partono in corteo. La città pare una luminaria, dai balconi e dalle finestri signure e signurine fanno chioviri sciuri e banniruzze driccolori.

Il corteo si ferma davanti alla casa del fascio, Mussolini scinni dalla machina, acchiana una rampa, nel salone tutti sbattono i tacchi e salutano romanamente. Il Cavaleri rispunni al saluto, si mette le mano sui scianchi, lancia a tutti una taliata «cesarea» (vale a dire come a quella di Giulio Cesare, accussì la definì Biniditto Fragapane), rifà il saluto romano, gira le spalle, nesci.

Il vice segretario provinciale di Catania, Castriota, che stazza la billizza di centotrentacinco chila, doppo essiri arrinisciuto a nesciri dalla machina, ha appena messo il pede sul primo scaluni della rampa che si vede precipitare d'incoddru a valanga a Mussolini. Fa appena a tempo a scansarsi che il Cavaleri gli passa allato, acchiana nella machina e il corteo riparte di cursa. Castriota addecide di non cataminarsi cchiù dalla casa del fascio, se continua ad andare appresso a Mussolini a quella velocità rischia un sintòmo. La machina del Cavaleri e quelle del seguito intanto stanno frenanno davanti al palazzo del barone D'Urso indovi che si è riunito il fior fiore, il meglio della nobiltà calatina: Mussolini acchiana la scalunata che pari un bersaglieri, trasi nel salone sfavillante di luci e di billizze ingioiellate, punta sulla baronessa D'Urso che avendo 102 anni ed essendo completamente stolita gli spia con voci arrisintuta:

«Pirchì non hai la cammisa russa?».

L'ha scangiato per Garibaldi. Il Cavaleri fa finta di non aviri sintuto, le bacia la mano, fa il saluto romano, s'appriecipita fora, rimonta in machina, parte, si ferma trecento metri cchiù avanti, davanti al Municipio, scinni, acchiana facenno i graduna a dù a dù. Il sinnaco Biniditto Fragapane lo proclama cittadino onorario di Caltagirone, Mussolini ringrazia con brevi parole, saluta, scinni, si rimette in machina, parte. Ora è in visita a una mostra di ceramica, tutta la facenna dura deci minuti scarsi. Doppo, arrivato a una piazza indovi c'è un mezzo busto, quello del calatino Giorgio Arcoleo, assertore della ricostruzione dello Stato e maestro di Paulucci de Calboli ecc. ecc., appoja alla colonna una corona di fiori, fa il saluto romano al mezzo busto e via.

Tutti daccapo al Municipio indovi sono state imbandite le tavole.

Mussolini gusta in modo particolare il «consumè al Tricolore» e il «dolce di stagione» che poi sarebbe il gelato di cassata.

Chi partecipò alla mangiata conta che il Cavaleri praticamente non raprì vucca. Continuava a essiri d'umore nìvuro. Finita la cena, si susì dalla seggia, fici il saluto romano e sinni acchianò all'ultimo piano indovi che gli avivano priparato la càmmara di dormiri.

La posa della prima pietra

L'indomani a matino, jorno 12, fino dalle sett'albe accomenzò a tirare una friscanzana gelita, macari se la jornata s'appresentava senza una nuvola.

E difatti una foto ci mostra il Cavaliere Capo del governo sulla piazza di Caltagirone prima di partire in machina verso il bosco di Santo Pietro. Ha un'espressione 'nfuscata, lo sguardo torvolo, forse non ha dormito bene, la cassata gelata gli sarà restata sullo stomaco.

O forse il motivo di quell'evidente nirbùso è da ricercarsi nel continuo, insistente fischiare di decine e decine di pecorari che l'ha accolto alla stazione (e lui quel friscare l'ha intrasintuto oltre le acclamazioni e la banda che sona) e che non l'ha abbandonato cchiù. Manco nel corso della nottata. Ora bisogna considerare che la friscata di un singolo pecoraro è capace di superare in altezza e in intensità la sirena di un papore o il fischio di un treno in corsa: figurarsi quando i pecorari sono decine e decine! Il Cavaleri ha di subito voluto informarsi:

«Chi fischia?».

«Sono i pecorai, Eccellenza».

«E perché fischiano?».

«Perché sono stati sospesi i lavori della linea ferroviaria Gela-Caltagirone».

«Ma ai pecorari che gliene fotte?».

Nessuno seppe dargli una risposta.

Nella foto, Mussolini indossa un capputtuni pisanti, aperto, sotto il quale s'intravvede un doppio petto scuro di almeno una misura cchiù nico per la sò stazza. Dalle maniche evidentemente troppo corte della giacchetta e del capputtuni fuoriescono dù polsini rigiti, bianchissimi e larghissimi, quasi da pagliaccio da circolo questre. Porta le ghette in bella vista macari a causa dei pantaloni a livello osso pizziddro e in testa ha una bombetta che non gli trase bene.

La colonna delle machine finalmente si mette in moto e principia ad acchianare verso Santo Pietro attraverso una trazzera tutta pirtusa malamente inchiute nelle febbrili giornate che hanno preceduto la calata.

E la colonna arriva allo spiazzo nel vosco indovi il Cavaleri, scinnenno dall'auto, viene arricivuto dagli applausi delle maestranze (molti sono semplici disoccupati truccati e vestiti da muratori).

«Il bosco brilla nel sole tricolore» scrisse il giornale locale. Essendo la foto che accompagna l'articolo in bianco e nero, il mirabile fenomeno non è percepibile. Nella foto ci sono macari le dù torri grezze, un pezzo di marciapiede, un muretto basso che corre per qualche decina di metri. La banda municipale è già sul posto e appena vidi comparire il Cavaleri, attacca l'inno nazionale. Mussolini, prima di mittirisi sull'attenti, posa la bombetta sul muretto che ha allato. La banda finisce macari «Giovinezza» e il Cavaleri piglia la bombetta e se la rimette. Di colpo tutti ingiarmano, apparalizzati. Pirchì Mussolini si è mittuto in testa non la sò bombetta, ma una sorta di caciotta schiacciata a falde larghe.

Fora dalla grazia di Dio, il Cavaleri se la leva, la jetta luntano, cerca con l'occhi la bombetta sul muretto e non arrinesci a vidirla.

Lo scrivo in corsivo come si usa nei romanzi gialli:

La bombetta era scomparsa.

«La mia bombetta!» grida il Cavaleri.

È come un hallalì. Si scatena una veloce caccia alla bombetta alla quale partecipano affannosamente dame e cavalieri, muratori veri e muratori fàvusi, camicie nere, onorevoli e prefetti, federali e generali. Niente da fare.

La bombetta risulta introvabile.

Allora qualichiduno, prioccupato che al Cavaleri venga una frussione dato il vento gelido che tira, gli proi una coppola che quello indossa di malagrazia. Si prosegue nella Cerimonia. Parla il federale di Catania porgendo il saluto di tutte le camicie nere della Sicilia e quindi dà la parola al Capo del governo.

Lontani, insistenti, mai smessi, nella pausa tra i due discorsi arrivano i frischi dei pecorari ammucciati nel bosco. La bombetta persa e i pecorari fanno passare al Cavaliere la gana di parlare.

Si limita a dire:

In questa terra ferace e deserta, tra le ombre delle secolari querce, un popolo di forti lavoratori siciliani avrà la sua città!

Si passa quindi alla seconda parte della Cerimonia, consistente nell'offerta al Cavaleri di una medaglia supra la quale ci stava scrivuto, nel latino tanticchia asmatico dell'ispettore ferroviario Nicolò Vitale e di un profissori sò omonimo:

Olea et robur – Securitatis et pacis – Omen – Io triumphe – Mense maio – An. MCMXXIV *– B. Musolino – Qui lap. ausp. Posito – Condendam Urbem – Suo honestavit nomine – Calathayeron. D.D. – Istauratori rer. italic.*

Segue la terza e ultima parte della Cerimonia: la posa della pseudo prima petra. A un certo punto del curto marciapedi, sutta a una delle dù torri grezze, è stato scavato un pirtùso dintra al quale ci va la prima petra. La quale petra se ne sta, supra una specie di trespolo, allato al pirtuso.

La petra quatrata è stata a sua volta spirtusata per infilarci un tubo metallico con dintra una pergamena, scritta in latino dai suddetti omonimi, che dovrà essere firmata dal Cavaleri. Il tubo è nelle mano dell'onorevole Fragapane.

Mussolini si posiziona davanti al trespolo e afferra la penna che gli porge l'onorevole Pennavaria, quindi protende l'altra mano a pigliare la pergamena che gli avrebbe dovuto dare l'onorevole Fragapane dopo averla tirata fora dal tubo. Ma l'onorevole Fragapane, aperto il tubo, è restato 'ngiarmato, folgorato, immobile, incapace di parlare. Completamente pigliato dai turchi.

Il tubo è vuoto, la pergamena non c'è.

«Che succede?» spia Mussolini arraggiato.

«La pergamena non c'è!» arrinesci finalmente ad articolare l'onorevole Fragapane.

Per un attimo, ogni cosa si ferma, si mette in posa in attesa del lampo celeste che distruggerà l'universo criato. Mussolini con la stilografica in una mano e l'altra allungata verso l'onorevole Fragapane, l'onorevole Fragapane che talia sconsolato e perso il tubo vacante, l'onorevole Pennavaria che talia ammammaloccuto il Cavaliere, il Segretario provinciale di Catania con le vrazza isate non si capisce se per raggia o scanto, le foglie delle querce che non si cataminano più, l'aceddri con l'ali aperte e sospesi a mezz'aria. Solamente un suono di sottofondo: i frischi dei pecorari infrattati.

Il primo a reagire e far tornare in vita e movimento òmini e paesaggio è lo zio di Paulucci ecc. ecc. che ulula con voci di lupo:

«Chi si futtì la pergamena?».

Nessuno risponde.

La pergamena è scomparsa.

Non verrà mai più ritrovata, come la bombetta.

A questo punto Mussolini perde completamente la pacienza. Cava dalla sacchetta un pezzo di carta, ci scrive sopra qualichi cosa, ci mette la firma, strappa dalle mano contratte dell'onorevole Fragapane il tubo, c'infila il foglio, infila a sua volta il tubo nell'apposito pirtùso praticato nella petra, agguanta la petra, l'assistema nel loculo scavato nel marciapedi, afferra la cazzola che un capomastro (vero) gli proi, con quattro colpi abilissimi (ricordo di quanno faciva il muratore in Svizzera) mura la petra, fa 'nzinga alla banda d'attaccare.

La Cerimonia è finita: la «città forestale» di Mussolinia ora può accomenzare a criscire, a svilupparsi.

Un'orata appresso, Mussolini sinni torna a Catania.

Breve appendice alla calata

E la bombetta scomparsa? E la pergamena spiruta?

Qualichi jorno appresso la calata del Cavaleri, in paìsi accomenzò a firriare una filama che dava una spiega alla misteriosa scomparsa della bombetta e della pergamena. Pare che quattro professionisti, uno dei quali costretto dai fascisti a vivirisi una buttiglia d'olio di ricino e un altro che era stato manganellato, si erano appattati, pagando una carrittata di soldi, con un finto muratore e con una camicia nera che aviva il vizio del joco e fagliava sempre a dinari, per arrubbari la bombetta e la pergamena. Avutele in putiri, la sira stissa della partenza del Cavaleri i quattro professionisti si erano radunati a taci maci nella casa di uno di loro che campava sulo e qui, assistimata la bombetta arriversa al centro di una càmmara con le persiane inserrate, a lume di cannila, si erano dedicati, uno alla volta, a una specie di rito defecatorio all'interno della bombetta, puliziandosi alla fine con la pergamena.

Che dovette essere cosa di difficile esecuzione, dato lo spissori della carta.

Manco un mese appresso

Manco un mese appresso la calata del Cavaleri, e precisamente il 14 giugno, a Caltagirone si scatinò il quarantotto, il virivirì, la rivoluzione. Appena arrivata la voci dell'ammazzatina di Matteotti, tutto il paìsi scasò e si riversò sulle strate e nelle piazze. Viddrani, operai, artigiani, borgisi s'arritrovarono uniti a fare voci: ebbiva la libertà, abbascio il fascismo. E non ficiro solo voci, tant'è vero che la sede del fascio fu completamente devastata, lo zio di Paulucci de Calboli ecc. ecc. sinni dovitti scappare campagne campagne assicutato da gente che lo voliva ammazzare. E ci fu qualichiduno che acchianò fino allo spiazzo nel bosco di Santo Pietro e tentò di abbattere le torri di Mussolinia. Però, macari quanno il fascismo s'arripigliò dalla botta, nisciuno a Caltagirone pensò cchiù di rimettiri mano alla prosecuzione della città di Mussolinia. Come se la morti di Matteotti l'avisse scancellata dal ciriveddro di tutti.

Altre carte, altre parole, altri fatti

UNA LETTERA DEL BARONE TALÈ DI SANTO STEFANO

Quando, a seguito del mortale incidente capitato al deputato socialista Matteotti, osceni mestatori si diedero a far correre voci infamanti su Benito Mussolini e sul Fascismo, parte della popolazione, in buona o in mala fede, diè loro credito e li seguì, facendo degenerare un'immotivata protesta in gesti vandalici e atti persecutori. E qui si aprì, tra noi Fedeli all'Idea, una crisi dolorosa: alcuni infatti tentennarono, altri addirittura (una esigua minoranza invero) non si peritarono di rimettere quella tessera che li onorava. Io fui, e posso proclamarlo a voce alta, tra coloro che resistettero e combatterono la canea bolscevica che aveva rialzato la testa: forse perché animato dallo sguardo magnetico e imperioso che Lui, durante la sua visita a Caltagirone, aveva lasciato cadere su di me.

I soliti ignobili figuri però non hanno mancato, anche in questa occasione, di spargere menzogne sul mio comportamento in quelle giornate, arrivando addirittura a sostenere che io sia scomparso dalla città proprio nel momento più critico, nascondendomi non si sa dove.

Chi mi conosce sa benissimo che queste non possono essere altro che stupide volgarità, ma purtroppo c'è tanta gente che, non conoscendomi, potrebbe prestar fede a queste ignobili menzogne. E dunque eccomi qua a chiarire una volta per tutte la verità dei fatti a salvaguardia del mio Onore che è tutt'uno con la mia salda, inscalfibile Fede Fascista.

Quando scoppiarono i tumulti io mi trovavo in paese e tutti poterono vedermi alla sede provinciale del Partito Fascista dove per tutto il giorno incitai i camerati a resistere. Tornato a casa, trovai davanti al portone la macchina di mia cugina, la squisita marchesa Anna Filippa di Portobello, giovane Vedova di guerra di una Medaglia d'argento, la quale, tramite lo chaffeur, mi inviava un biglietto che mi chiamava a Taormina per darle aiuto e consiglio in una necessità che lei, da sola, non avrebbe saputo risolvere che in parte. Mi partivo quindi per Taormina, dove restavo fino a mattina inoltrata. Quindi nel primo pomeriggio mi rimettevo in macchina per tornare in paese a riprendere il mio posto di

241

combattimento quando l'automobile, appena fuori Taormina, sbandava andando a finire in un fosso. Prontamente soccorso, venivo trasportato nella villa di mia cugina dove un medico mi riscontrava la frattura di alcune costole. Sono rimasto a letto, impossibilitato a muovermi, maledicendo la mia cattiva stella.

Quando ho potuto rimettere piede in paese i tumulti erano stati quasi tutti domati, restava solo qualche focolaio in provincia che mi sono affrettato a spegnere io stesso alla testa delle mie Camicie nere. La ringrazio per l'ospitalità.

Federico Talè di
Santo Stefano

La visita

Da tri jorni chiovi a retini stisi, 'u zù Gaspanu, come lo chiamano i sò niputi, figli di un frati di sò mogliere Stella che ogni tanto lo vanno a truvari, ogni matina si susi che ancora fa scuro e si mette di postìo assittato supra la panchina che è sutta la tettoia che protegge l'ingresso di la casa.

Aspetta da tri jorni che il cielo s'addecida a fari occhio e lui può accussì tornari a travagliari 'u tirrenu: quell'acquata continua capace che fa ammargiare la simenza e allura ti saluto e sono.

Verso le deci del matino, Stella accomenza a smurritiarlo:

«Gaspà, ma chi fai di fora? Ti pigli d'umito e basta. Trasi dintra, tanto tinn'adduni l'istisso se scampa».

Sò mogliere avi perfettamente ragione, stando dintra lo vede l'istisso se fora ha smesso di chioviri, ma la scascione per la quale sinni resta sutta la tettoia ad assupparsi d'umidità è che gli piaci sintiri nelle nasche il sciauro della terra, delle piante vagnate. Tira ogni tanto un respiro funnuto e s'arricria i purmuna e l'arma.

Si perdi darrè un calcolo che gli veni di fari. Dunque, lui è andato in pinsione il 20 di innaro e oggi è il 18 di ottobriro: sono stati bastevoli novi misi di vita a Catenella per cangiare completamente il maresciallo dei carrabineri che era nel viddrano sputato che è addivintato. Addivintato? O forsi lo è sempre stato, viddrano, e l'erruri lo fici quanno s'arrollò nell'Arma?

Ora alle sò grecchie, che funzionano come quanno avivano vint'anni, oltre alla rumorata della pioggia ne arriva un'altra, in avvicinamento.

È una carrozza, non c'è dubbio. Per averne conferma, si susi addritta a taliare. È una carrozza, infatti, che ha lassato la provinciale e ha pigliato la trazzera che porta a la casa.

«Genti a nù» dice alla mogliere mettendo la testa dintra alla finestreddra della cucina.

«Matre santa! E cu po' essiri cu tutta chist'acqua di cielu?» si agita Stella currenno a mettiri a posto la càmmara di mangiari che è l'unica indovi si possono arriciviri stranei.

Macari Tinebra è tanticchia sorpreso, in novi misi che sta a Catenella non ha ricevuto visite se non quelle di stritta famiglia.

La carrozza, eleganti, cosa di genti ricca, si ferma. Ne scinni di cursa un omo che viene ad arripararsi sutta la tettoia.

«Buongiorno, lei è l'ex maresciallo Gaspare Tinebra?».

«Sì».

L'omo non si meraviglia a vidiri com'è vistuto l'ex maresciallo: vecchie scarpe incretate con i chiova, cazùna di villutu, scusuti e spirtusati, cammisa senza colletto, gilecco di villuto pisanti tutto macchi macchi.

«Io sono l'avvocato Mario Pigna».

È un cinquantino sicco, vistuto bono, occhiali d'oro, baffetti, pizzetto, occhi nìvuri sparluccicanti. È il famoso avvocato Pigna, accanosciuto come uno dei meglio della Sicilia, si dice che se Caino avissi avuto a lui come difensore, di certo che se la scapottava.

«Trasisse, avvocato».

Fa strata a Pigna, gli proi una seggia allato al tavolo.

«Un bicchiere di vino?».

«Sì, se non la disturba, grazie».

Mentre sta versando il vino, scinni, dalla scala che porta al piano di supra, Stella che è andata a cangiarsi e a darsi una pittinata. Pigna si susi, le fa un inchino.

«Mia moglie».

«Mi perdoni, signora, se mi presento così a casa sua, ma veramente non ho avuto modo di...».

«Non si preoccupi, stia comodo» dice Stella tornando in cucina.

Davanti al bicchiere di vino, Pigna spia:

«Lei sa che ho assunto la difesa di Lopardo?».

«No. Non lo sapevo. È da tempo che non leggo i giornali».

«Così, a occhio e croce, è un'impresa disperata».

«E chi glielo fa fare?».

Stavolta Pigna lo talia veramente ammaravigliato.

«Lei non sa nemmeno che io sono comunista?».

«No, manco questo sapevo».

«Ma la vera ragione non è questa. Io ho avuto modo di conoscere bene Michele Lopardo e se ha dichiarato che ha sparato in aria senza nessuna volontà di uccidere, dice la verità. Però, quando i compagni mi hanno affidato l'incarico, ho avuto modo di rendermi conto che c'erano molte cose che non tornavano. E di queste cose che non tornavano, la polizia non ne ha voluto tenere conto. Mentre voi carabinieri sì. Però, appena avete cominciato a muovervi, al tenente Pellegriti è stata levata l'indagine. Mi dica sinceramente: è così?».

«È così. Ha parlato col tenente?».

«Pellegriti da tre mesi presta servizio a Cuneo. Gli ho scritto, mi ha risposto».

Cava dalla sacchetta una busta, la proi a Tinebra che la piglia, sfila il foglio che c'è dintra, lo legge:

«*Egregio Avvocato, in risposta alla sua di quattro giorni fa, mi è doveroso comunicarle che avrei molto da dirle. Ma impegni di servizio, che non mi danno tregua, mi farebbero tardare a scriverle quello che dovrei e vorrei. Perché non si rivolge, presentandogli queste mie righe, al maresciallo Gaspare Tinebra? Egli credo che ne sappia più di me sull'argomento. Penso che Tinebra sia andato in pensione, ma non le sarà difficile rintracciarlo. Buona fortuna! Pellegriti*».

Tinebra riduna la littra all'avvocato, si rivolge a voce alta alla mogliere.

«Stella, quanto ci voli pi mangiari?».

«Pronto è».

«Lei rimane a mangiare con noi, perché dopo voglio farle vedere le carte che ho di sopra in una valigia. E appresso le dico una cosa che il tenente non sa».

«D'accordo» dice Pigna. «Ma dovete dare un piatto di pasta macari a Giulio che porta la carrozza».

Mangiano di prescia, ma quanno l'avvocato vidi la valigia china china di carte s'abbilisci.

«Signor Tinebra, mi sembrano cose importanti, che io dovrei studiare. Ora qui, lei capisce… Se potessi portarmi la valigia e tenerla per una settimana, poi le prometto che…».

«Va bene» taglia Tinebra. E aggiunge:

«C'è un'altra cosa che le volevo dire».

E gli conta quello che gli ha detto la vidova Callarè.

«Ma questa signora non è mai stata interrogata!» sclama l'avvocato.

«Appunto. Ma io le ho fatto scrivere una dichiarazione a futura memoria che è depositata presso il notaro Todaro a Spagliara».

L'avvocato lo talia con ammirazione.

«Bella mossa, mi congratulo».

«Se vuole, a Spagliara possiamo andarci ora stesso, il notaro la dichiarazione può consegnarla solo a mia».

«Mi faccia pensare un momento».

Pigna si piglia la testa tra le mano, arrifletti.

«Sa se la signora Callarè è ancora viva e, se lo è, se ci sta con la testa?».

«Questo non lo so».

«Perché vede, se la signora fosse in grado di venire di persona a testimoniare, la cosa avrebbe un grosso effetto».

«Mi dispiace, ma io…».

«Senta, facciamo così. Io corro a informarmi sulla signora. Se sta bene, la faccio testimoniare. Altrimenti produrremo la dichiarazione. Mi faccio vivo presto».

PRIMI GIORNI DEL PROCESSO ALL'UCCISORE
DEL MARTIRE
LILLINO GRATTUSO

L'altrieri, martedì 14, a Palazzo Moncada, dinanzi a strabocchevole folla, onde si è reso necessario l'intervento dei RR. CC., si è aperto il processo in Corte d'Assise contro Michele Lopardo, il capomastro comunista che la sera del 24 aprile 1921 ammazzò con un colpo d'arma da fuoco il diciottenne studente Lillino Grattuso, fervente anima di fascista che in breve è diventato simbolo di una generazione dedita all'amor patrio e all'Ideale fascista.

Presidente della Corte è Domenico Soldini; l'ufficio di Pubblico Ministero è stato assunto da Vincenzo Maggio, Procuratore generale del Re.

A rappresentare la parte civile l'avvocato Nicola Giampizzo e l'avvocato Michele Potenza.

Nutrito il collegio di difesa: l'avvocato Mario Pigna, del foro di Montelusa, e gli avvocati locali Arturo Piras, Stefano Pizzino, Giulio Cesare Tomasino.

Il primo giorno, dopo gli adempimenti di rito, si è vagliata l'opportunità dell'imputazione di porto abusivo d'arma da fuoco a carico del Lopardo: trattasi dell'arma da lui detenuta abusivamente e della quale si è servito per uccidere il Martire.

Ieri la Corte ha sentenziato non doversi procedere contro il Lopardo per porto abusivo d'arma per avvenuta prescrizione.

Subito dopo in aula il Lopardo reitera la sua deposizione: egli dichiara di essere stato aggredito nell'ex via Arco Arena da tre persone che non poté riconoscere in quanto la via era completamente al buio e che sparò due colpi non ravvicinati in aria per richiamare l'attenzione dei RR. CC. che poco prima aveva visto sostare in corso Vittorio Emanuele. Egli conclude affermando con forza di non avere avuto nessuna intenzione omicida.

Subito dopo viene ascoltato l'ex maresciallo dei RR. CC. Gaspare Tinebra che fu il primo a tentare d'interrogare l'imputato, ma lo vide così malridotto che fece chiamare il dottor Ziotta perché apprestasse le prime cure. Il dottor Ziotta redasse un referto che però non si è trovato allegato agli atti. Il Lopardo stava in stato così confusionale che il maresciallo impedì al dottor Lanzillotta, allora capo della squadra politica, d'interrogarlo. Per questo venne sostituito nell'indagine dal tenente Pellegriti. L'avvocato Pigna gli chiede allora se ricorda quali erano le ferite del Lopardo e l'ex maresciallo le descrive con molta precisione.

Viene quindi ascoltato Antonino Impallomèni che con Tito Tazio Sandri e Lillino Grattuso si trovò coinvolto nel litigio con il Lopardo. Egli sostiene che la lite, sorta per le pesanti provocazioni del Lopardo, ebbe inizio in via di Santa Pitronilla, che almeno cinque compagni del Lopardo uscirono dalla vicina osteria a dargli man forte, che il Lopardo, estratta l'arma, inseguì il Grattuso in via Arco Arena. Nella rissa che ne seguì, il Lopardo esplose due colpi di revolver il secondo dei quali colpì il Grattuso. A questo punto l'avvocato Pigna gli chiede se ricorda quale era la sua esatta posizione al momento del colpo mortale. L'Impallomèni dice che teneva immobilizzato il braccio destro del Lopardo con la mano sinistra e col peso del proprio corpo.

L'avvocato gli domanda se è mancino e il teste risponde di no. Pigna allora gli chiede se può produrre il vestito che indossava quella sera e Impallomèni dice che, essendosi strappato nella colluttazione, l'ha regalato a un povero. Alla domanda se quella sera era armato risponde: né quella sera né mai. Incalzato dalle domande dell'avvocato, chiarisce che si è recato in Francia con regolare passaporto per allontanarsi da quei luoghi che troppo gli ricordavano la sua fraterna amicizia col Martire e che, raggiunto a Parigi dalla notizia che era stato prosciolto dall'accusa di rissa, non aveva ritenuto di dover rientrare subito in Italia.

Dopo di lui è la volta di Tito Tazio Sandri il quale sostanzialmente conferma il racconto dell'Impallomèni. Su sollecitazione dell'avvocato Pigna, dichiara di aver fatto subito rientro nella natìa Cremona perché la città dove Lillino aveva trovato sì tragica fine gli era diventata insopportabile. Chiarisce che la sera fatale aveva con sé il grosso bastone da pecoraio dal quale non si separava mai e che Lillino era solito portare un pugno di ferro per difesa personale, ma che quella sera non poté usare perché lo perdette correndo da via di Santa Pitronilla a via Arco Arena.

Conferma che l'Impallomèni era, come sempre, disarmato.

In conclusione, una nostra impressione. L'avvocato Mario

Pigna non ci è apparso francamente all'altezza della fama che lo circonda. Egli ha rivolto ai testi qualche domanda insidiosa, ma lo ha fatto svogliatamente, quasi per dovere d'ufficio. Forse si rende conto del compito impossibile che, certo per comune militanza politica col Lopardo, si è dovuto assumere.

LA VOCE DELLA SICILIA

Direttore: Angelo Panepinto
18 novembre 1924

PROSEGUE L'ESCUSSIONE DEI TESTIMONI
AL PROCESSO LOPARDO

Il 16 e il 17 novembre al processo Lopardo è proseguita l'escussione dei testimoni che, secondo il calendario stabilito dalla Corte, si concluderà nell'udienza di sabato 18, vale a dire oggi per il lettore.

Si può tranquillamente affermare che la giornata di giovedì 16 si è conclusa sostanzialmente in parità per l'imputato, anche se un improvviso «affondo» dell'avvocato Pigna ha messo in momentanea difficoltà il teste Impallomèni richiamato al banco dalla difesa. L'avvocato ha domandato al teste se corrisponde al vero che era stato fermato dalla polizia di frontiera italiana durante il suo viaggio per Parigi, pochi giorni dopo la morte del Grattuso, perché in possesso di un revolver illegalmente detenuto. Visibilmente sorpreso, l'Impallomèni ha ammesso la circostanza precisando però che quell'arma l'aveva comprata qualche ora prima a Torino perché, dovendo affrontare una città quale Parigi a lui completamente ignota, si sentiva alquanto rassicurato dal possesso del revolver. Richiesto

del perché al fermo non fosse proseguita regolare denunzia, il teste rispondeva che nella faccenda era autorevolmente intervenuto il dottor Lanzillotta, all'epoca capo della squadra politica. Licenziato il teste, l'avvocato Pigna si lamentava con la Corte dell'assenza autorizzata del dottor Lanzillotta, ora questore di Rovigo, al quale avrebbe dovuto rivolgere molte domande circa la conduzione dell'indagine.

Come si è già detto, le testimonianze pro o contro Michele Lopardo si sono sostanzialmente bilanciate.

Nell'udienza di venerdì 17 è accaduto un fatto certamente non favorevole all'imputato. Un teste a difesa, tale Bartolomeo Mandracchia, aveva deposto che la sera del 24 aprile 1921 si era appartato tra i ruderi dell'arco di via Arco Arena con una donna di malaffare, tale Anna, che non è stato possibile identificare. Mentre si trovava a congresso carnale, il Mandracchia aveva avuto modo di sentire tre giovani parlottare tra loro per preparare un agguato al Lopardo. Spa-

251

ventato, aveva interrotto il congresso ed era scappato. Orbene, in aula il teste ha ritrattato tutto e ha sostenuto di aver ricevuto una certa cifra da persona non identificata per dichiarare il falso. È stato incriminato.

Un altro serio colpo alla difesa è venuto dalla drammatica, sofferta testimonianza dell'avvocato Ernesto Impiduglia. Egli conferma quanto già dichiarato in istruttoria e cioè che quella sera di domenica, tornando dalla sua villa di campagna in località Piccione, vide in via di Santa Pitronilla una decina di persone che si azzuffavano e una di esse, precisamente il Lopardo, che brandiva un revolver. A quella vista l'Impiduglia, per non essere accidentalmente coinvolto, tornava indietro col carrozzino.

A questo punto il Procuratore del Re, Maggio, domandava al teste se rispondeva a verità che nel corso degli anni precedenti egli fosse stato denunziato ben due volte per atti sediziosi nel corso di manifestazioni indette dal partito socialista. L'Impiduglia rispondeva esser vero. Allora il Procuratore del Re l'incalzava domandandogli se avesse per caso cangiato idea. Il teste, fieramente, rispondeva di no. «Allora perché depone contro un suo compagno d'idee?» ha chiesto il dottor Maggio. E l'Impiduglia ha dato una risposta di altissima dignità: «amicus Plato, sed magis amica veritas».

L'avvocato Impiduglia è uscito dall'aula tra gli applausi incontenibili dello straripante pubblico.

La matina di sabato

La matina di sabato l'avvocato Pigna porta ritardo, arriva quanno il saluni è già stipato, il corridoio che i carrabineri tengono aperto tra i corpi delle pirsone per permittiri d'arrivari dalla porta ai banchi e alle prime fila di seggie riserbate è stritto stritto. L'avvocato è sicco e si muove a esse come un'anciddra, mentre l'assistente sò, che è grasso e porta dù borsoni, si catamina a fatica. Appena arriva al posto sò l'avvocato si scusa con il Presidente e con la Corte e si giustifica:

«Son dovuto passare dalla Posta per ritirare una raccomandata che mi era appena arrivata».

L'assistente gliela passa, Pigna la piglia e la mostra a tutti facendo fare mezzo giro al vrazzo.

«E che me ne fotte della tò corrispondenza?» pensano, in contemporanea, il signor Procuratore del Re e l'avvocato di parte civile.

«Mi compiaccio dell'evento» dice il Presidente che ogni tanto gli salta il firticchio di fare lo spiritoso.

«Me ne compiaccio anch'io» fa di subito Pigna. «Posso aprirla?».

«Signor Presidente!» sàvuta addritta la parte civile.

«Non potrebbe l'illustre collega sbrigare la sua corrispondenza privata fuori dall'aula?».

«Il fatto è che non si tratta di corrispondenza privata. La lettura di questa lettera – vi faccio notare che il contenuto non lo conosco, la busta è ancora intatta – tocca un argomento che ha diretta attinenza con questo processo. Allora, signor Presidente, che faccio?».

«Ma tutto questo è irrituale!» scatta ancora il Procuratore del Re. «È semplicemente pazzesco che...».

Il Procuratore non lo sa, ma ha pisciato fora del rinale. Pirchì 'u presidenti Soldini avi come tabù principali la parola pazzia, con annessi tabù laterali tipo pazzo, pazzesco, pazzamente, mentre follia o demenza gli fanno meno impressioni. Il signor presidenti è ossessionato dallo scanto d'addivintari pazzo da un momento all'altro, macari se nisciuno della sò famiglia ha mai dato segni di squilibrio. Certi notti s'arrisbiglia sudatizzo:

«E si nescio pazzo?».

E non arrinesci cchiù a pigliari sonno. Cosa che gli è capitata propio la notti avanti.

«Signor procuratore, con tutto il rispetto!» interrompe, viola in facci, dando una gran manata supra il banco. E doppo, rivolto a Pigna:

«Avvocato, legga pure».

«Questa raccomandata» dice Pigna «proviene dal comando del posto di polizia ferroviaria di frontiera di Tenda, al confine tra Italia e Francia. Ora l'apro».

Teni la busta sollevata con la mano dritta, con l'istissa sullennità che hanno i prestigiatori quanno ti fanno vidiri un bicchieri vacanti e dicinu: «senza trucco e sen-

254

za inganno!"». Doppo, con la mancina piglia un tagliacarte d'argento che l'assistente gli proi, rapri la busta,
riconsegna il tagliacarte, sfila il foglio che è piegato in
dù, leggi:

«*Signor avvocato Pigna, conformemente alla sua richiesta circa i dati dell'arma sequestrata al signor Nino Impallomèni in quanto irregolarmente detenuta, le comunico trattarsi di una Smith & Wesson calibro 38 con caricatore a cinque colpi. Il numero di matricola dell'arma è:
ZD34762978. Il Comandante Agostino Novelli*. Chiedo
che questa lettera venga messa agli atti».

«E perché?» spia a voce àvuta il Procuratore. «Cosa ci dice che non sappiamo già?».

«Ci dice il numero di matricola» rispunni frisco l'avvocato Pigna. «E ci dice anche che l'arma è uguale a
quella che la sera del 24 aprile impugnò il Lopardo».

«E con ciò? Revolver marca Smith & Wesson ce ne
sono a centinaia! E che importanza ha il numero di matricola?» fa arraggiato il Procuratore.

«Se il signor Presidente mi consente...».

«Consento, consento. Anch'io sono curioso di sapere
perché è importante quel numero di matricola».

«Il giorno 28 aprile, vale a dire quattro giorni dopo
la tragica aggressione che portò alla morte del Grattuso, l'avvocato Calogero Impallomèni, padre del teste Antonino, si recò in Questura a denunziare la scomparsa
del suo revolver che teneva in un cassetto e che da tempo immemorabile non apriva. Ho copia della denunzia».

Allunga la mano, l'assistente gli proi un foglio, l'avvocato lo legge:

«*Io sottoscritto Impallomèni Calogero ecc. ecc. dichia-ro che ecc. ecc. smarrito in data imprecisabile ecc. ecc. un revolver a cinque colpi marca Smith & Wesson, calibro 38, numero di matricola* ZD34762978. *In fede ecc. ecc.* Signor Presidente, rinnovo la mia richiesta che la lettera e la copia della denunzia di smarrimento siano messe agli atti».

Una murmuriata come un'ondata di risacca parte dal pubblico. Il presidente s'arraggia:

«Silenzio o faccio sgombrare!».

«Posso avere la parola?» spia il Procuratore.

«Parli pure».

«Signor Presidente, faccio opposizione alla richiesta del difensore. Riconosco che l'arma sequestrata a Tenda è la stessa di quella smarrita qua. Ma tutto questo, ai fini processuali, che importanza ha? L'Impallomèni ha già dichiarato che era spaventato all'idea di affrontare una città sconosciuta come Parigi e che si munì di quell'arma a Torino. Invece, evidentemente, l'aveva sottratta al padre. Tutto qua. Ritengo perciò inutile l'acquisizione dei due documenti».

«Signor Presidente, permette?» spia Pigna susennosi. «Quando interrogai il teste Impallomèni e gli chiesi se la sera del 24 era armato, egli testualmente mi rispose: "né quella sera né mai". Ora, se si è impadronito del revolver del padre prima di partire per Parigi, come sostiene il Procuratore del Re, è chiaro che egli ha mentito perché per qualche sera l'arma l'ha portata in tasca. Sono d'accordo col Procuratore del Re che l'Impallomèni rubò l'arma al padre, assolutamente ignaro, prima di partire per Parigi. Ma la domanda è: quando prima? Due giorni? Tre? Quattro? La risposta a tale domanda è il nodo centrale di questo processo».

Si riassetta. Il Presidente lo talia nìvuro. Ma come? Un processo bello e tranquillo, liscio, 'st'avvocato ha 'ntinzioni di cangiarlo in un burdellu che uno capace che ci rimette la carriera?

«Agli atti» dice di malavoglia.

LA VOCE DELLA SICILIA

Direttore: Angelo Panepinto   21 novembre 1924

INASPETTATA TESTIMONIANZA AL PROCESSO LOPARDO

Dopo la sosta domenicale, il processo contro il capomastro Michele Lopardo, l'assassino del Martire Fascista Lillino Grattuso, è ripreso ieri, lunedì 20, con la chiamata della signora Assunta Bartolomeo vedova Callarè, testimone a difesa fortemente voluta dall'avvocato Mario Pigna che ha dovuto superare non poche difficoltà procedurali, a cominciare dal fatto che la signora non è stata mai ascoltata dal Giudice istruttore. Ma già in città da due giorni correva voce trattarsi dell'unica testimone presente al momento del grave fatto di sangue, inspiegabilmente ignorata dalle indagini del dottor Lanzillotta. Inoltre va detto che nessuno di coloro ai quali ci siamo rivolti per saperne qualcosa di più ha potuto (o voluto) dirci alcunché. Ieri, all'apertura dell'udienza, la folla, richiamata dal «mistero» della testimone, era enorme e sono scoppiati numerosi tafferugli ben presto sedati dai RR. CC. La signora, per riguardo all'età, ottantatré anni compiuti, è stata fatta aspettare in una stanza attigua a quella del Presidente. Quando questi ha chiamato la testimone ella è entrata sottobraccio all'avvocato Giulio Cesare Tomasino del collegio difensivo. Con enorme stupore di tutti i presenti, ci si è subito resi conto che la vecchia signora aveva sì gli occhi aperti, ma era completamente cieca. Nel salone è calato un silenzio totale e improvviso, rotto solo da uno del pubblico che, dalle ultime file, ha sussurrato:

«E questa sarebbe una testimone oculare?».

Noi l'abbiamo sentita a stento, quella frase. Non la signora che, sebbene assai più distante, ha subito replicato spiritosamente allo sconosciuto:

«Non oculare, signore, ma auricolare!». Dando così istantanea prova di possedere un udito sopraffino. La testimone ha declinato con voce sicura le generalità ed ha aggiunto di essere stata maestra elementare, resa cieca ventitré anni orsono dal glaucoma. Invitata dal Presidente a iniziare la deposizione, ha voluto fare una premessa

258

dicendo della sua abitudine di mettersi al balcone tutte le sere, nelle belle stagioni, e di passare il tempo ascoltando i passi e le voci di coloro che si trovano a passare per via Arco Arena. Ha finito così col riconoscere particolari «camminate» di uomini e di animali.

A questo punto l'avvocato Pigna domanda di poter fare una precisazione. Egli dice che, a conforto di quanto sta affermando la signora, è in possesso di una lista di persone, pronte a testimoniare, le quali affermano di venire abitualmente salutate dalla signora con nome e cognome prima che loro ricambino il saluto, perché riconosciute dal loro personale modo di camminare. Il Presidente decide la non necessità di ulteriori testimonianze in proposito e la testimone può riprendere il suo discorso, seguito da tutti con attenzione addirittura spasmodica.

La signora racconta che verso le 21 o pochi minuti dopo, non è in grado di precisare l'ora, udì i passi di tre persone che provenivano correndo da via Santa Pitronilla. I tre fra di loro parlottarono, poi dovettero entrare tra le rovine dell'arco, perché lei non li sentì proseguire. Poco dopo udì i passi di un uomo che proveniva da corso Vittorio Emanuele. All'altezza dell'arco, due uomini corsero verso di lui e si scatenò subito una rissa senza parole, della quale a lei giungevano respiri ansimanti, colpi di bastone, gemiti soffocati. A un tratto sentì una voce gridare dall'arco: «Staiu arrivannu, picciotti!» e i passi di corsa di un quarto individuo che veniva a partecipare alla rissa. Poi ci fu il primo colpo di revolver. La signora dice che, spaventata di essere vista – non sapeva che la via era al buio, lo seppe il giorno dopo dalla nipote – si alzò per entrare nella sua camera da letto, ma inciampò e cadde, la testa e il busto sulle tavole del balcone, le gambe dentro la camera. Quindi ci fu il secondo colpo, ma questo, a differenza del primo, fu fortissimo, una vera e propria esplosione, e contemporaneamente la signora sentì sotto di sé, all'altezza del proprio petto, un rumore strano, come se qualcuno avesse violentemente bussato con le nocche a una porta. E quindi udì urlare:

«L'haiu ammazzatu a stu porcu comunista!».

Questa frase riferita dalla vedova Callarè scatena una vera e propria rivoluzione in aula, grida si alzano dal pubblico, il Procuratore del Re e la parte civile sono in piedi e scagliano frasi incomprensibili, l'avvocato Pigna e i suoi colleghi della difesa ridono senza ritegno.

Furibondo, il Presidente sospende la seduta.

Dopo mezzora, si riprende. La testimone è a disposizione del Procuratore del Re.

Il dottor Maggio domanda alla signora se è proprio certa di aver sentito la parola «comunista» e non la parola «fascista».

La vedova Callarè dice di aver sentito, con assoluta certezza, la parola «comunista» e aggiunge di sapere benissimo la differenza che passa tra comunista e fascista per poter confondere i due termini.

«Lei era spaventata, signora?».

«Molto».

«Non può darsi che lo spavento abbia potuto influire sulle sue straordinarie, lo ammetto, capacità uditive?».

«Sì, ma non fino al punto di farmi scangiare comunista per fascista».

Per un'altra buona mezzora il Procuratore del Re insiste per insinuare almeno un dubbio sulla stupefacente deposizione della signora, ma la vedova è irremovibile.

Allora la parola passa alla parte civile. L'avvocato Giampizzo afferma di non volere controinterrogare la testimone, ma dice che vorrebbe portare tutti, Corte compresa, alla ragione. Perché i fatti sono fatti: a sparare è stato, per sua stessa ammissione, il comunista Lopardo e ad essere ammazzato da quel colpo è stato il fascista Grattuso. La signora ha sentito diversamente? Bene, allora si tengano presenti lo stato emotivo della signora in quel momento e il suo stato mentale generale, dato che la signora, alla quale egli non intende menomamente mancare di rispetto, ha superato abbondantemente gli ottanta anni d'età. Chiede pertanto che della testimonianza non si tenga conto o che, in linea subordinata, la signora sia sottoposta a perizia per accertarne la capacità d'intendere.

Allora si alza l'avvocato Pigna il quale mostra un foglio che vorrebbe messo agli atti. Si tratta, spiega, di un certificato medico a firma dell'illustre professore Pomicino dell'Università di Palermo, e del professore Lojacono, Direttore del Manicomio provinciale di Palermo, i quali, dopo aver visitato congiuntamente la signora Assunta Bartolomeo vedova Callarè, la dichiarano perfettamente sana di mente. Il Presidente fa mettere agli atti il certificato.

Quindi l'avvocato Pigna domanda alla testimone se è in grado di spiegare perché il secondo colpo di revolver le è sembrato più forte del primo. La testimone risponde che non è in grado di spiegarlo, ma ripete che il secondo colpo fu più forte.

«Quanto più forte? Da uno a due? Da uno a tre?».

«No. Da uno a due, direi».

«E quel rumore simile a nocche battute violentemente sul legno lo può spiegare?».

«Avvocato, ho già detto di no».

«Posso spiegarlo io. Il rumore che la signora ha sentito era quello di un proiettile che andava a infiggersi contro le assi di legno del balcone sul quale stava la signora».

Si rischia una seconda sospensione, tale è la reazione immediata e vociante del pubblico. Lo stesso Procuratore del Re grida:

«Questa è una sua supposizione!».

«Non è una supposizione» ribatte calmissimo l'avvocato Pigna. «I signori Larussa che abitano al piano di sotto a quello della signora Bartolomeo, mi hanno permesso di accedere al loro balcone che è più piccolo di quello soprastante. Con una scala posta sul balcone dei signori Larussa sono arrivato all'altezza del balcone della testimone. Munito di una lente d'ingrandimento, ho notato nel legno un piccolo buco perfettamente circolare. Non solo, ma dato che il proiettile evidentemente non aveva una grande forza di penetrazione, se ne scorge ancora perfettamente la parte inferiore a livello della superficie della tavola. Esso, signori, è lì. Quando la Corte lo vuole, si può estrarlo e farlo periziare. Non ho altro da chiedere».

Stavolta il tumulto è indomabile. Il Presidente rinvia la seduta al giorno seguente.

LA VOCE DELLA SICILIA

Direttore: Angelo Panepinto   24 novembre 1924

LE ARRINGHE DEL PROCURATORE GENERALE DEL RE
E DELLA PARTE CIVILE AL PROCESSO LOPARDO

Il nostro giornale nei giorni 22 e 23 non è potuto uscire a causa di un duplice incendio scoppiato negli uffici redazionali e nella nostra tipografia. Il nostro Direttore, Angelo Panepinto, ne parla ampiamente nel suo fondo. Noi, da parte nostra, non vogliamo raccogliere le anonime voci le quali insinuano che la causa del duplice incendio, evidentemente doloso, sia da ascriversi alla fin troppo evidente «simpatia» che nutriremmo per l'avvocato Mario Pigna mettendone in eccessiva evidenza le qualità dialettiche e le capacità induttive. In altre parole, saremmo eccessivamente partigiani della linea difensiva. Teniamo a dichiarare, una volta per tutte, che noi siamo soltanto scrupolosi cronisti di quello che vediamo e udiamo in aula. E nient'altro. Poiché il nostro giornale è costretto a uscire con un ridotto numero di pagine, anche noi siamo quindi costretti a fare un riassunto di quello che è accaduto nei tre giorni di processo dei quali non abbiamo potuto fare il resoconto ai nostri lettori.

Buona parte dell'udienza di giorno 21 è stata dedicata alla discussione sulla necessità o meno di procedere all'estrazione del proiettile che, secondo l'avvocato Pigna, sarebbe rimasto conficcato nel tavolato del balcone della vedova Callarè. All'estrazione si oppongono, con diverse e motivate ragioni, sia il Procuratore del Re sia la parte civile. L'avvocato Pigna si limita a dichiarare che per lui quale decisione pigli la Corte va comunque bene. Dopo un'ora di camera di consiglio, la Corte ritiene di non dover procedere al recupero dello pseudo proiettile. Il Presidente dà quindi la parola all'avvocato Giampizzo per la requisitoria di parte civile.

L'avvocato, giovane e noto oltre che per le brillanti qualità forensi anche per avere pubblicato due volumi di versi, l'ultimo dei quali, *La littoria vittoria*, è dedicato a S. E. Benito Mussolini, ha il dono di un'oratoria possente e lirica a un tempo che conquista e trascina. Egli sostiene con forza la tesi della volontà omicida del Lopardo, perché tutta l'ideologia nella quale si riconosce il Lopardo è una ideologia di violenza e di morte. Opera una distinzione tra le testimonianze: tutti coloro che hanno dichiarato che la rissa ha avuto inizio a via Santa Pitronilla sono persone che hanno potuto ampiamente motivare le ragioni della loro presenza in quel luogo e in quel momento, a cominciare dall'avvocato Impiduglia che ha dato uno splendido esempio di virtù civica; al contrario, tutti coloro che hanno testimoniato di essersi trovati in via Arco Arena hanno tergiversato sulle ragioni della loro presenza lì, infatti si aggiravano tra le buie macerie del vecchio magazzino oltre l'arco per scopi perlomeno ambigui. Ribadisce che della testimonianza della vedova Callarè non bisogna tenere conto alcuno. E termina con queste parole:

«Michele Lopardo, il sangue di Lillino Grattuso è sopra di voi, nessuna testimonianza spudoratamente mendace, come nessun oceano può cancellare la macchia di quel sangue che se è purità sul corpo bianco di pallido giacinto dell'Eroe caduto, è macchia indelebile sulle vostre mani e sulla vostra anima!».

Il giorno seguente, 23, è toccato al Procuratore del Re, dottor Maggio. Il Procuratore del Re, in questa sua veemente arringa, è parso voler smentire la nomea di uomo calmo e posato che lo ha finora circondato. Egli ha iniziato polemizzando con l'avvocato Pigna per alcune sue affermazioni fatte nel corso delle sedute precedenti. Egli ha ammesso, ma solo per assurdo, che l'Impallomèni fosse quella sera armato – anche se non usò l'arma, tant'è vero che i colpi sparati sono stati due e tutti e due ad opera del Lopardo – come pure armato di nodoso bastone era il Sandri: ebbene, questo non fa che sottolineare la spaventosa vigliaccheria del Lopardo che sparò all'unico dei giovani che in quel momento era completamente disarmato e inerme: Lillino Grattuso. Egli ha voluto dichiarare che in anni di onesta carriera mai si era trovato di fronte a una così fitta schiera di testimoni palesemente mendaci e di fronte a una difesa che – lo dice la parola stessa – invece di arroccarsi su una ragionevole linea difensiva, apertamente contrattacca con argomenti privi di fondamento e tendenti a confondere le carte. Fino a giocare sull'equivoco della testimonianza di una povera vecchia che ha perso il senso e il significato delle parole. Appresso, il Procuratore del Re dimostra, con grande capacità analitica, come l'unico colpevole sia il Lopardo. Termina con queste parole:

«La pena di morte che in Italia non è ammessa nemmeno per i parricidi fu decretata dall'imputato ai danni di un ragazzo reo di amare la Patria e di portare all'occhiello il nastro tricolore. Non persecuzioni da parte della Pubblica Sicurezza, non minacce, errate perizie mediche e tecniche, non altri revolver: tutte fandonie. Fu Lopardo a uccidere, a uccidere ferocemente, tutto è contro di lui, del suo folle gesto, che merita una adeguata punizione!».

Oggi la parola spetta alla difesa.

UNA TESI INEDITA E SCONVOLGENTE ESPOSTA
DALL'AVVOCATO PIGNA AL PROCESSO LOPARDO

Ieri la città si è svegliata e si è trovata in una specie di stato d'assedio. Polizia e Carabinieri presidiavano punti nevralgici, fermavano persone sospette, chiedevano documenti d'identità. Gli accessi alla piazza dove sorge il palazzo nel quale si sta svolgendo il processo Lopardo erano stati transennati sì da permettere l'entrata solo dopo l'obbligata sosta per l'identificazione. Queste eccezionali misure di sicurezza sono state volute da S. E. il Prefetto in previsione dell'arringa che avrebbe dovuto tenere in mattinata l'avvocato Pigna in difesa di Michele Lopardo: erano infatti trapelate voci che le parole della difesa avrebbero potuto provocare in qualche modo reazioni anche sconsiderate. In prima fila tra il pubblico, al solito strabocchevole, abbiamo notato il segretario provinciale del Partito Nazionale Fascista, Federico Talè di Santo Stefano, in camicia nera con altri squadristi. Il Presidente, prima di dare la parola alla difesa, ha voluto premettere un'ammonizione al pubblico: al minimo accenno di consenso o di dissenso avrebbe fatto sgombrare l'aula.

Diciamo subito che l'eloquenza dell'avvocato Pigna è secca, lucida, razionale, non si appella ai sentimenti ma ai fatti. Non adopera belle parole, usa le parole che gli servono. Qual è la sua tesi che possiamo ben definire rivoluzionaria?

I colpi sparati quella sera in via Arco Arena non furono due, ma tre. Come mai tutti allora, a cominciare dallo stesso Lopardo, hanno parlato di due colpi e non di tre? Perché il terzo colpo, quello che uccise Lillino Grattuso, venne esploso in assoluta contemporaneità col secondo colpo sparato dal Lopardo, si confuse con esso. Tant'è vero che la vedova Callarè dichiara che il secondo colpo fu assai più forte del primo. La perizia balistica voluta dalla difesa sostiene che il proiettile ritrovato nel cranio della vittima presenta tracce di rigatura, mentre l'interno della canna dell'arma in possesso del Lopardo non aveva rigatura, era liscia e quindi con scarsa forza di penetrazione. L'altro revolver, quello sequestrato alla frontiera ad Antonino Impallomèni, ha invece la canna rigata perché appartenente a un modello più recente. La sera del 24 aprile 1921 i tre giovani, Grattuso armato di pugno di ferro, Sandri di un nodoso bastone e Impallomèni del revolver sottratto al padre, tendono un agguato al Lopardo. Inizialmente sono in due: Grattuso, che ha smarrito il pugno di ferro, e Sandri che ha ceduto il bastone all'amico. Fino a quando si trova a dover lottare contro due avversari, Lopardo sente di potercela fare, ma quando interviene nella rissa anche l'Impallomèni si rende conto di essere in grave pericolo. Sopraffatto, cade a terra e, spaventato, estrae il revolver ed esplode un colpo in aria. Ha così la possibilità di rimettersi in piedi, ma l'aggressione accanita, feroce, di tre contro uno riprende. Grattuso gli stringe le mani alla gola, determinato a soffocarlo, alla sua destra Impallomèni gli impedisce i movimenti, Sandri continua a colpirlo con calci e pugni. A questo punto, Impallomèni decide di farla finita: estrae il suo revolver e preme il grilletto proprio mentre Lopardo sta sparando a fatica per la seconda volta in aria. Il proiettile di Lopardo va a conficcarsi debolmente in una delle assi di legno che formano il balcone della vedova Callarè, quello di Impallomèni entra invece con forza nella fronte di Grattuso, gli spacca l'osso, gliela devasta. Impallomèni è sicuro di avere colpito il Lopardo, infatti grida: «L'haiu ammazzatu a stu porcu comunista!». E a gridare questa frase in dialetto non può essere altri che Antonino Impallomèni, perché Grattuso agonizza e Sandri, essendo cremonese, non parla il dialetto siciliano. Quando Impallomèni confesserà ai suoi superiori di partito di essere stato lui ad avere ammazzato, per errore, il suo amico e camerata Grattuso, verrà consigliato di scomparire. Anche a Sandri verrà dato lo stesso consiglio. In modo che il colpevole risulti essere Lopardo, che non ha ammazzato nessuno anche se ha creduto di averlo fatto non volendolo fare. Grattuso non è stato ucciso da un comunista, ma da un fascista.

A questo punto nell'aula, malgrado la raccomandazione del Presidente, è scoppiato il finimondo. Il Presidente l'ha fatta sgomberare, l'arringa dell'avvocato Pigna è continuata a porte chiuse.

In città regna un'eccitazione vivissima, si formano continuamente capannelli, le discussioni sono molto animate. La sentenza è prevista per domani.

La sentenza

Faciva già sira. Il barone Talè di Santo Stefano trasì nell'anticàmmara della Federazione provinciale fascista
che parse una botta di vento maligno, di quelle che fanno arrovisciari le vele. Detti una gran pidata a una seggia e la fici volari.

«Buttana della buttana della buttanazza di sò matri!».
Con chi ci l'aviva? L'uscieri, il camerata Pipino
Gammacurta, che puro erano anni che l'accanosceva,
stavolta si scantò a vidirlo con quella facci giarna giarna, con la pelli tanto tirata che gli faciva dù fossa sulle guance e gli scummigliava le labbra fino all'attacca-
tura dei denti. Scattò sull'attenti, fici il saluto romano e principiò una specie di litania assicutannolo di càmmara in càmmara:

«Chi fu, ah, cillenza, chi fu?».

«Buttana della buttana della buttanazza di sò matri!».

Prima di rapriri e chiudiri la porta del sò ufficio, Talè
s'addecidì finalmenti a taliarlo:

«Non mi scassari la minchia, Pipì!».

Gammacurta non fici in tempo a tornari ad assittarsi
darrè al sò tavolino nell'anticàmmara che comparse il
commissario prifittizio, Addolorato Mancuso. E macari

stavolta Pipino si scantò. Lui a Mancuso lo vidiva un jorno sì e uno no: come aviva fatto, tempo una nuttata, a farisi addivintari la pelli di la facci e di le mano russa russa ca pariva tutta una brusciatura? Era priciso 'ntifico a una ragosta squadata. Senza manco arrispunniri al saluto romano, senza diri né ai né bai, Mancuso s'addiriggì verso l'ufficio di Talè.

«Aspittassi che avverto 'u baruni» fece Pipino.

«Avverti 'sta minchia» fu la risposta di Mancuso mentre rapriva la porta dell'ufficio e quasi gliela sbattiva in facci chiudennula.

«E dù!» pinsò Pipino, principiando strammato a fari il corridoio per tornari al posto sò.

Ma doppo dù passi dovitti fermarsi per un problema. Il problema era rapprisintato dal fatto che, dall'altro capo, stava arrivanno Arcangelo Lopane, presidente dell'associazione combattenti e reduci, presidente della Pia Opera «Santi Cosma e Damiano», presidente dell'associazione «Pro Patria», insomma presidente di tutto chiddro che era presidenziabile, come dicivano in paìsi le male lingue. Per una ferita di guerra, Lopane, omo nirbùso e sciarrevole, quanno dava il passo mancino si calava con tutto il corpo a mancina, facenno una specie d'inchino: l'inclinazione dell'inchino segnava il sò umore del momento, tanto cchiù era profunno, tanto cchiù abbisognava stari alla larga da Lopane. Con vero scanto, Pipino vitti che quello, a ogni passo, dava una tistata contro il muro quasi rasoterra: doviva pirciò aviri un umore cchiù nìvuro del nìvuro di siccia.

«Levati dai cabasisi ca non ci passo!» gli gridò Lopane.

Fulmineo, Pipino raprì la porta del cesso e sgombrò il corridoio. Sintì a Lopane che passava e trasiva nell'ufficio del barone.

«Salutamu» fece Lopane dando una terribili craniata allo stipiti e finalmente trovanno una seggia per assittarsi. «E accussì il signor Presidente Soldini ce l'ha infilata 'n culo!».

Talè lo taliò.

«Ti informo che ho appena finito di telefonare a Roma, a Giacomino Barone. Gli ho detto che Lopardo è stato assolto e messo in libertà perché, secondo il tribunale, ha agito per legittima difesa. E lo sai che mi ha detto Giacomino?».

«No».

«Paratevi 'u culu».

«E che significa?».

«Significa che appena lo viene a sapiri Farinacci, quello ci fa passari i guadolino».

«A noi?!» s'ammaravigliò Lopane.

«Sissignura, a noi» intervenne Mancuso, «pirchì ci dirà che siamo stati a minarcela durante il processo invece di vigilare fascisticamente».

«Domani parto per Roma e vado a spiegargli di persona come stanno le cose. Barone non sa che il presidente Soldini sempre, quando si è trattato di imputati comunisti e socialisti, che andavano condannati per il solo fatto di essere quello che erano, ha avuto un occhio di riguardo. È sicuramente macari lui un comunista, ma è abile abbastanza per non farlo apparire».

«Stavolta però si è fottuto» disse Mancuso.

«E come?» spiarono in contemporanea Talè e Lopane.

«Con le sue stesse parole, quelle che ha usato per la sentenza. Ha detto che Lopardo ha agito per "respingere da sé una violenza attuale ed ingiusta". Ci avete riflettuto su queste parole? Che significa una violenza attuale e ingiusta? Quella dei tre fascisti che in quel momento rappresentavano tutto il fascismo che combatteva contro il comunismo? Questa è violenza ingiusta? Ma questa è violenza sacrosanta, biniditta da Dio onnipotente!».

«Vero è» disse Talè.

«E poi c'è lo sfregio che ci fa».

«Quale sfregio?».

«Ordina la restituzione del revolver sequestrato a Lopardo, comprese le cartucce che non sono state sparate. Capite? È un invito chiarissimo ad ammazzare ancora uno di noi».

«Veru è» arripitì Talè.

«Tu» continuò Mancuso «fatti dare una copia della sentenza e portatela a Roma. E non ti devi limitare, parlando con Giacomino, al nostro caso particolare. Gli devi fare presente il grosso rischio che rappresenta una magistratura che non si vuole allineare. Di un magistrato che non sia fascista non ci si può fidare».

«Sapete dov'è andato Lopardo doppu ca l'hannu scarzaratu?» spiò Lopane. «Pirchì non organizziamo una spedizione e...».

«I sò cumpagnuzzi se lo sono portato non si sapi indovi con tutta la famiglia» arrispunnì Talè.

«Niente spedizioni» fece Mancuso. «Stasira stissa parlo col commissario Gangitano che pigliò il posto di Lanzillotta e mi pari pirsona ca ragiuna. Dumani Lopardo devi essiri novamenti in galera».

«E comu?» spiò ancora Lopane.

«Non è tollerabile che giri libero, ci facemo una figura di mmerda. Gangitano se la trova lui una scusa per arristarlo. Anzi, la scusa ce l'ha già. Lopardo è nuovamenti in posesso del revorbaro».

«Ma glielo ha ridato il tribunale!» fece Talè.

«Non ha importanza. Lopardo lo deteneva illegalmente e sicuramente non ha avuto il tempo di farsi dare il porto d'armi. Che d'altra parte non può aviri. Posesso illegali d'arma da foco. E il bello è che non è una scusa».

«E in quanto all'avvocato Pigna?» intervenne Lopane.

«I Io chiamato Montelusa e ho parlato con Titino Minacapilli» disse Talè.

«Embè?».

«Stanotti 'u sò studiu piglia foco».

«E basta?».

«E a lui gli danno una tali fracchiata di lignati che se l'arricorderà fino a che campa. Piccato che, a naso, il signor avvocato Pigna mi pari che camperà picca».

«Mi sentu megliu» fece Lopane.

«Mi dispiace, ma non sono d'accordo» disse Mancuso. «Il tempo del manganello e dell'ogliu di ricinu è finito. Ora siamo al governo, comandiamo noi, ve lo siete scordato? Abbisogna saperci fare. Come si dice? Dammi tempu ca ti spirtusu. A Pigna lo inculeremo a tempo debito, ma con la vaselina, lo metteremo in condizione di non esercitare. Telefona a Minacapilli e digli di starsene bono».

«Allura, picciotti» concluse Talè di Santo Stefano. «Per domani dovete organizzare voi una grande manifestazione dato che io sarò in viaggio per Roma. Dovete rifare il funerale a Lillino. Deve parteciparicci tuttu 'u paìsi. Fati susiri a càvuci nei cabasisi macari i malati. Una cosa granniusa. Voglio decine e decine di corone. Tutti i fascisti in cammisa nìvura col luttu sul vrazzo. Le fìmmine a luttu strittu. Hai ragione tu, Mancuso, epperciò non voglio disordini, vociate, minchiate, voglio compostezza, dignità, massimo massimo dolore. Un solo grido: "Onore al Martire ammazzato due volte"».

Cittadini!
Con questo volantino di
necessità anonimo voglia-
mo porvi una semplice
questione.
Un fascista ammazzato da
un altro fascista può essere
chiamato «martire»?
Oppure è un semplice morto
ammazzato privo di titolo
e quindi inesistente come
martire?
Pensateci.

Appresso

Ascesa di Mussolinia...

Una bella matina del fivraro 1930, Paulucci de Calboli Barone Giacomo, che oramà navica da una carrica importanti a una cchiù importanti ancora, si fa arriciviri dal Duce pirchì ci devi diri una para di cose. Alla fine della sò parlata, Mussolini gli dice:

«Ho preso atto. Potete andare».

Non è che è arraggiato con Giacomo Barone. Ma è che lui, il Duce, da qualichi tempo parla accussì pirchì una volta i romani, che erano guerrieri, pari che parlavano accussì.

Giacomo Barone rincula e doppo, arrivato alla porta, sbatte i tacchi, fa il saluto romano e si gira per agguantare la maniglia. La voci del Duce l'apparalizza.

«Barone, a che punto è Mussolinia?».

Se Mussolini gli sparava un colpo di revorbaro in mezzo alle scapole, di certo faciva meno effetto. Giacomo Barone varìa, s'afferra alla maniglia. Mussolinia? E che minchia è, Mussolinia? Tutto 'nzemmula la facenna gli torna a mente e addiventa di colpo sudatizzo.

«M'informerò e vi farò sapere, Duce».

Si fa di cursa il corridoio, scinni i graduna della scala a dù alla volta, arriva in cortile affannato, l'autista che l'ha visto arrivari come un furgarone gli rapre la portiera della machina.

«In ufficio, presto!».

Nel sò ufficio, doppo aviri inserrata a chiave la porta, chiama al telefono lo zio di Caltagirone.

«Zizì, io sono, Giacomo. A che punto è Mussolinia?».

«Mussolinia? Vuoi babbiare? Chi se n'arricorda cchiù?».

«No, Zizì. La cosa è seria assà. Lui, se ne è ricordato, capisci? LUI. E io gli ho risposto che m'informavo e gli facevo sapiri».

«Minchia!»

«Zizì, in serata doviti darimi una risposta».

Zizì chiama a raccolta i fedelissimi, gli conta quello che sta capitanno.

La discussione rischia di finiri a schifìo pirchì ognuno scarrica sull'altro la colpa di essersi scordato di Mussolinia. Ma come è stato possibile?

«È inutile minarcela con le discussioni» taglia a un certo punto Zizì.

«Telefoniamo all'architetto».

L'architetto Fragapane da cinque anni si è trasferuto a Roma, travaglia al ginematò.

«Domani a matino arrivo» è la sò risposta.

La prima cosa che l'architetto fa, appena iunto in paìsi, è di pigliari i vecchi disigni della città che avrebbe dovuto fabbricari e studiarli. Doppo comunica a Zizì e ai fedelissimi che la cosa si po' fari.

«E comu?».

«Comu si fa al ginematò. Si chiama scenografia. Le

278

torri e il colonnato si fanno di ligno e compensato. Delle torri abbasta la facciata. Doppo si fotografano in un certo modo e v'assicuro che parino vere».

Tempo una simanata di travaglio, dalle sett'albe fino a quanno fa scuro, la piazza di ligno e compensato, taliata solamenti di davanti, è una billizza, una magnificenza. Fotografata, veni megliu ancora. Finuto il travaglio nella radura del vosco di Santo Pietro, tempo tre jorni ogni cosa veni smontata e della finta città non resta manco un pizziteddro di ligno o un chiovo.

L'architetto fotografa macari qualichi casa nova, e vera, del paìsi, una fontana recenti, dù jardinetti, il novo consorzio agrario, il novo spitali. Si porta ogni cosa a Roma indovi dice che ha fatto canuscenza con un fotografo che è un mastro d'opira fina. Farà un fotomontaggio tra case vere e case fàvuse. E doppo quinnici jorni telefona all'onorevole Biniditto Fragapane:

«Acchiana».

L'onorevole, quanno a Roma s'attrova tra le mano l'album di fotografie che gli consegna l'architetto e lo sfoglia, per picca non assintoma di felicità, di cuntintizza. Mussolinia, a taliarla in fotografia, è una città moderna e bella assà, granni spazi, maestosità, imponenza.

La sira stissa l'album viene dato a Paulucci de Calboli Barone Giacomo che si mette a fari sàvuti di gioia. La matina appresso l'album è supra il tavolino di Mussolini. Il quale, a vidiri le fotografie della città che porta il nome sò, quasi quasi si commovi. Doppo chiama il sò segretario:

«Ho saputo che l'editore Sonzogno sta per pubblicare un libro, *Cento città d'Italia*. Ditegli d'inserire una foto, la più bella, da questo album».

... e sò caduta

Qualichi jorno prima del natali del 1930 i calatine-si, strammati, appresero da un libro stampato dall'e-ditore Sonzogno che nel vosco di Santo Pietro c'era una città della quali loro erano a scanoscenza. Possibbili? I cacciatori e i fungiaroli che nel vosco ci bazzicavano giu-rarono che quella città non esistiva. Sì, qualichiduno tem-po avanti aviva visto un certo trafico, ma gli avivano spiegato ch'era cosa di ginematò, di pillicula. E ci fu chi nel vosco ci andò di pirsona e non attrovò nenti di nenti, pirchì macari le petre delle dù torri construite sei anni prima erano spirute, forse erano servite a fari ca-suzze di riparo.

Ma comu fu e comu non fu, una matina di fivraro dell'anno appresso il segretario del Duce gli posò da-vanti una busta che aviva rapruta col tagliacarte. Mus-solini c'infilò dintra dù dita, tirò fora una fotografia, la taliò. Arriconobbe subito con piaciri le torri e il co-lonnato di Mussolinia. Solo che ora, al posto della piazza, c'era un porto col mare, le varcuzze e le riti sti-se ad asciucari. Darrè c'era scritto:

Non solo Caltagirone ha la sua città satellite, la sua città-giardino, ma adesso anche il mare batte alle sue mura.

Un fotomontaggio. Una sullenne pigliata pi fissa. Una cosa che lo potiva cummigliari di ridicolo. Mussolini non dissi nenti a Giacomo Barone e telefonò al segretario politico di Catania. Della missione che gli affidava, nisciuno doviva sapiri nenti, pena la galera a vita.

Il federale Crescimone si partì da solo con la sò machina, sbagliò quattro volte strata, arriniscì a pigliari una trazzera che lo portava al vosco senza doviri passari dal paìsi, ma si persi nuovamenti. Si scoraggiò, faciva friddo, c'era neglia. Finalmenti vitti a dù ca scinnivanu intabarrati e li fermò. Quelli si scantaro a vidirlo, tutto vistuto di nìvuro e di curduna d'oro.

«Voi sapete dirmi dov'è Mussolinia?».

Quelli si taliarono e non arrispunnero.

«Dov'è Mussolinia?» fece voci il federale.

«Mussolini a Roma è» disse uno.

E si misero a curriri, scomparendo nella neglia. Comu Dio vosi, il federale doppo un'ora di gira ca ti rigira, scoprì la radura. Completamente vacante, sterpi, piante serbagge, àrboli caduti che marcivano. Mussolinia non esistiva. O almeno, esistiva ma in fotografia.

Quanno il Duce lo vinni a sapiri, ordinò al segretario del partito che tutti i gerarchi in un raggio di cinquanta chilometri torno torno a Caltagirone dovivano andarsela a pigliari in quel posto. E dintra a quel raggio ci capitò macari la città indovi c'era il Martire Fascista Lillino Grattuso.

(In paìsi circolò la voci che a spidiri al Duce il fotomontaggio di Mussolinia col mare erano stati i misteriosi quattro professionisti che sei anni avanti avivano fatto il rito della bombetta, ma nisciuno arriniscì a provarlo).

A
Sua Cellenzia
BENITTO MUSSOLINI
Roma

3 marzo 1931

Cellenzia,
mi chiamo Boccadoro Filomena e sono la mogliere di
Lopardo Michele, l'omo che dicino che ammazzò a Grattuso e inveci non l'ammazzò.

Da quello jorno mallitto mè marito Lopardo non avi
paci, ogni ano che s'avvicina il jorno della morti di Grattuso i carrabineri l'arrestano e lo tegnino incarzarato minimo minimo una simana. Quanno nel 28 ci fu che ficiro il monumento al morto, a mè marito si lo tinniro pi tri
misi.

Chisto ano che fa deci ani dalla morti già vinniro e se lo
portaro in càrzaro aieri. Un carrabineri mi disse che stavota prima di Nattali non lo fano nisciri dal càrzaro.

Cellenzia, ma macari quanno mè marito è fora dal càrzaro non trova travaglio, nisciuno ci lo voli dari pirchì dicino che Vossia, Cellenzia, voli accussì.

Io *mi arrisolsi a scriviri ammucciuni sta littra a Vossia pirchì aiu tri figli e non aiu chi daricci a mangiari. Semo alla limosina e dispirati.*

Ci mittisse la bona parola, Cellenzia, pi carità

Boccadoro Filomena

mandatelo al confino

Mussolini

NEL DECENNALE DEL MARTIRIO DI LILLINO GRATTUSO

(*dal nostro corrispondente*)
Ieri si è svolta in città la solenne commemorazione di Lillino Grattuso nel decennale del suo Martirio. Come tutti i lettori ricorderanno, Lillino cadde colpito a morte da una mano bolscevica mentre difendeva i suoi ideali di giovane educato all'amor patrio. Fin dalla prima mattina sono cominciati ad arrivare da tutte le parti dell'isola autobus, appositamente noleggiati, con intere scolaresche e treni speciali stracolmi di camicie nere. Alle ore 10,30, da un palco eretto a fianco del monumento dedicato al sacrificio del Martire, ha preso la parola Addolorato Mancuso, segretario politico e presidente dell'Opera naz. Combattenti, il quale, dopo aver dato il «Saluto al Duce!» al quale ha risposto l'oceanico «A noi!» della folla, ha presentato gli oratori. Per primo ha parlato Arcangelo Lopane, mutilato di guerra, nominato nuovo segretario federale dopo il recentissimo «cambio della guardia» voluto dal Duce in persona. Il Federale, dopo avere con parole di ferma, virile e fa-

scista commozione ricordato l'eccelsa figura di Lillino Grattuso, ha comunicato che sono ben trentacinque, fino ad adesso, le scuole di ogni ordine e grado che hanno ottenuto l'onore di essere intitolate al nome del Martire. Innumerevoli le lapidi poste in atrii, aule magne, luoghi ufficiali. Dopo di lui ha parlato il nuovo Podestà, barone Federico Talè di Santo Stefano, che ha ricordato, con alati accenti, la lunga militanza del Martire tra le file della «Lega antibolscevica», poi confluita nei Fasci di combattimento. Ha aggiunto che la cittadinanza ha plaudito al provvedimento di confino per il bieco assassino il cui nome non vuole nemmeno pronunziare: vederlo girare libero per le strade della città era un'offesa quotidiana alla memoria del Martire. Infine ha annunziato che il Municipio ha indetto un premio annuale, tra tutte le scuole siciliane, per il miglior tema che illustri la breve vita e gli ideali di Lillino Grattuso.

Infine la parola è stata data a S. E. il Vescovo Rapisarda il quale ha detto come ormai i valori cristiani perfettamente s'identifichino coi tre valori fascisti: Dio, Patria, Famiglia. E in questo senso, Lillino Grattuso non è solo un Martire Fascista: è anche un Martire Cristiano, simile ai Martiri che nel Colosseo affrontavano le belve. E che altro sono i comunisti se non belve? – si è chiesto S. E. Rapisarda. Alla fine, al canto di «Giovinezza», il corteo si è diretto al cimitero dove un gruppo di giovani studenti ha deposto una corona sulla tomba del Martire.

Quasi una conclusione

Credo che l'adunata del 1941, quella alla quale macari io partecipai, sia stata l'ultima manifestazione per ricordare (almeno pubblicamente) Gigino Gattuso. Anzi, ho motivo di cridiri che nel '43 non se ne fici nenti: alla fine del mese d'aprile le scole stavano chiudenno di prescia, gli Alleati si priparavano a sbarcare, ogni jorno c'erano dù o tri bombardamenti, mitragliamenti, spezzonamenti. Non facevi a tempo a nesciri di casa che ti vidivatu assicutato da un aereo che t'obbligava a 'ntanarti nel rifugio cchiù vicino. L'americani sbarcaro nella notti tra il 9 e il 10 luglio 1943: è vero che incontrarono una minima resistenza, ma è macari vero che se la pigliarono con un certo commodo. E quanno sbarcaro, attrovaro che c'era restato quasi tutto del ventennio fascista: dai Podestà ai busti del duce sulle piazze, dalle case del fascio alle scritte sui muri delle frasi celebri di Mussolini. All'arrivo dei miricani, insomma, Mussolini era ancora il capo del governo e del fascismo: e ci fu qualche Podestà che li arricevette in cammisa nìvura e col saluto romano. Finendo mazziato e in campo di concentramento. Quelli del continente, invece, col 25 luglio e il governo Badoglio, ebbero tutto il tempo d'arrifarsi la facciata, prima dell'arrivo dei miricani, facendo scomparire i fasci littorii, i monumenti al duce e cummigliando le scritte sui muri con una mano di biacca.

Comunque, dalle parti nostre, a fari spiriri simboli e insegne del regime ci pinsarono i sinnaci designati dall'Amgot, sigla che stava a significari «Amministrazione governativa dei territori occupati» (e non liberati, come sarebbe stato meglio assà). E quindi fu in quel periodo che scomparse il grande fascio littorio col quale lo scultore Meschino aviva, nel 1928, voluto significare il senso della morte di Gigino Gattuso. Ma, mi contarono dopo, non se la sentirono di spingere la *damnatio memoriae* fino a staccare dal muro la lastra che gli intitolava una strata (o una piazza, non ricordo bene). Si limitarono a cancellare l'aggettivo fascista. E accussì quella strata, o quello che era, arrisultò intitolata a «Gigino Gattuso, Martire». Un Martire generico. Doppo, non conosco gli sviluppi della facenna. Ma dato che scrivendo questo libro non mi è passato manco per l'anticamera del ciriveddro un sia pur minimo intento denigratorio nei confronti di quel poviro picciotto ammazzato a diciotto anni, mi pare di dover dire che la verità su Gigino Gattuso venne fora tutta quando cancellarono dalla targa l'aggettivo «fascista» e lassarono scritto solamente «Martire». Gigino fu il protomartire (tanti altri ne avremmo visti negli anni a venire) di una realtà stracangiata con violenza dalla volontà politica, dai giornali accodati a quella volontà politica, dalla cosiddetta opinione pubblica orientata dal potere. Sulla morte di Gigino Gattuso, e proprio senza nessun rispetto per la sua morte, venne costruita una solenne mistificazione che sostituiva la realtà con una realtà virtuale, inesistente. Lo stesso 'ntifico di quello che capitò con la città di Mussolinia. Solo che Gigino Gattuso la vita ce la rimise pi davero. E il comunista Michele Ferrara, chisto il nome sò, che passò per assassino, patì incolpevole una via crucis, un vero martirio di arresti e confino, fame e umiliazione, per anni e anni. Quanno io lo vitti, nel '41, momentaneamente libero, che chiangiva dispirato tutto vistuto di nìvuro dintra a un portone, non capii, né lo potevo, che quell'omo portava il lutto per sé, chiangiva per la sò esistenza stritolata dall'ingranaggio di una realtà virtuale voluta dal regime.

Nota

Questo libro è costruito su due fatti di cronaca. Per questo ho cangiato tutti i nomi e i cognomi dei reali protagonisti dei fatti: essi in fondo non venivano più a corrispondere, per diverse ragioni, ai miei personaggi. Via via che scrivevo, infatti, due o tre persone realmente esistite si assommavano in un solo personaggio, certe situazioni si spostavano nel tempo e nello spazio, certi punti che erano parsi focali nelle cronache dell'epoca ai miei occhi non lo erano più e via di questo passo. Ho lasciato il nome vero di Gigino Gattuso solo nel primo e nell'ultimo capitolo: infatti in essi non c'è alcuna invenzione.

Devo dire che questo libro non avrei mai potuto scriverlo se qualche anno fa il giornalista nisseno Walter Guttadauria non mi avesse inviato un suo bel volume intitolato *Fattacci di gente di provincia* (Edizioni Lussografica, Caltanissetta 1993). Di un capitolo di quel volume mi sono in parte già servito per il racconto «Meglio lo scuro» compreso nel libro *La paura di Montalbano*. Per questo mio *Privo di titolo* ho invece saccheggiato un altro capitolo di Guttadauria, quello intitolato «Il caso Gigino Gattuso.

295

Un omicidio con due martiri politici». Non finirò mai di essergliene grato.

Per quanto riguarda invece la storia della fondazione di Mussolinia, le mie fonti sono state: F. Chilanti, *Ma chi è questo Milazzo?* (Parenti 1959); L. Sciascia, «Fondazione di una città», in *La corda pazza* (Einaudi 1970) e l'articolo di Maria Attanasio, «Il mare a Caltagirone», in «La Sicilia», 4 gennaio 2000.

Quando avevo appena finito di scrivere il romanzo, il dottor Salvatore Venezia, calatino di nascita ma abitante a Torino, venuto non so come a conoscenza del mio lavoro, gentilmente si premurò di inviarmi un suo saggio, *Mussolinia: il fantasma di una città giardino*, apparso sul «Bollettino» (1993, n. 2) della «Società calatina di Storia Patria e cultura».

Il saggio è così prezioso, così pieno di notizie e dati, da costringermi a non utilizzarlo: avrebbe sbilanciato il mio racconto sul versante della città fantasma. Peccato. Sempre il dottor Venezia mi ha fatto avere il saggio di Maria Luisa Madonna, «Dalla città-giardino Mussolinia alla colonizzazione del latifondo siciliano», apparso in un volume di *Studi in onore di Giulio Carlo Argan* (Firenze 1994): interessantissimo, ma anche questo non ho voluto utilizzare perché io sono un romanziere che lavora di fantasia più che basarsi su planimetrie, piante, disegni architettonici. Infine il dottor Venezia mi ha fatto conoscere l'articolo di Toto Roccuzzo, «Nel bosco di Mussolinia, la città invisibile», pubblicato su «Diario», 1998, n. 28.

A. C.

Indice

Privo di titolo

Questo volume è stato stampato
su carta Palatina
delle Cartiere Miliani di Fabriano
nel mese di marzo 2005
presso la Leva Arti Grafiche s.p.a. - Sesto S. Giovanni (MI)
e confezionato
presso I.G.F. s.r.l. - Aldeno (TN)

La memoria

5 / 55 / 68 / 68 / 70 / 76 jolly 14

054331111